L'AMÉRIQUE QUI TUE

La peine de mort aux USA

Michel TAUBE

L'AMÉRIQUE QUI TUE

La peine de mort aux USA

Avec la collaboration d'Albertine Gentou

Préface

La peine de mort est une affaire d'individus, de chair, d'histoires humaines. Condamner à mort, c'est non seulement violer le principe d'une justice civilisée, mais c'est aussi exercer sur notre prochain la plus froide des violences, la vengeance – et cela, quels que soient les crimes qu'il a commis.

Le livre que le lecteur a entre les mains montre que les condamnés à mort ont tous un visage humain. Que trop d'entre eux ont eu des parcours personnels fragiles, que la plupart auraient pu bénéficier de circonstances atténuantes. Pire, que beaucoup étaient innocents.

L'association « Ensemble contre la peine de mort » milite pour l'abolition universelle de cette peine et pour l'arrêt des exécutions de condamnés à mort partout dans le monde. Nous disons qu'il est insupportable qu'un État de droit, une démocratie, autrement appelée pays civilisé, coupe en deux des hommes et des femmes ou les empoisonne – comme pour mieux se donner l'illusion qu'il puisse y avoir une mise à mort propre.

Deux associations américaines de défense des condamnés à mort, « Texas Defender Service » et « Medill Innocence Project », font travailler des avocats, des étudiants en droit et en journalisme pour rouvrir les dossiers de condamnés à mort qui n'ont pu bénéficier de procès équitables. Elles ont ainsi fait libérer plusieurs dizaines d'entre eux. « Ensemble contre la peine de mort » les soutient financièrement en leur adressant vos dons.

Puissent cet ouvrage et les dons que ses lecteurs enverront à « Ensemble contre la peine de mort » contribuer à lutter contre cette pratique indigne aux États-Unis.

Michel TAUBE
Président de l'association
« Ensemble contre la peine de mort »

GEORGE W. BUSH

Monsieur Peine de mort

« J'ai un profond respect pour la vie ; ma foi m'enseigne que la vie est un don du Créateur. Dans un monde parfait, la vie est donnée par Dieu et seulement reprise par Lui. J'espère qu'un jour les enfants à naître seront protégés par la loi et accueillis dans la vie. [...] »

« Je soutiens la peine capitale parce que je crois qu'appliquée avec rapidité et équité elle sert de dissuasion à la violence et peut ainsi sauver des vies innocentes. »

Extraits de *Avec l'aide de Dieu...*, de George W. Bush, 43ᵉ président des États-Unis, Odile Jacob, 2000, p. 198.

Quelques chiffres sur le Texas au temps de M. Bush. Il est classé :
— 50ᵉ État du pays pour le budget alloué aux salaires des enseignants
— 49ᵉ pour les dépenses en faveur de l'environnement
— 48ᵉ pour les dépenses de santé
— 47ᵉ pour les services sociaux

- 41e pour le budget de l'Éducation
- 5e pour sa population vivant dans la pauvreté
- 1er pour le pourcentage d'enfants sans assurance santé
- 1er pour le nombre des exécutions capitales

Sources

Texas Department of Criminal Justice
The San Antonio Express
The Death Penalty News
Universal Press Syndicate
www.justicedenied.org

ROGER COLLINS

En ce début de IIIe millénaire aux États-Unis, Roger Collins inaugure sa vingt-quatrième année dans le couloir de la mort au pénitencier de Jackson, en Géorgie. En 1977, alors âgé de dix-huit ans, le jeune Afro-Américain a été condamné à mort pour le meurtre et le viol de Delores Lois Lester, un crime commis par un autre homme.

« Pour pouvoir défendre son cas, précise le dossier rédigé sur le site perso.wanadoo.fr/ai288/pdm par son comité de soutien, Roger Collins a appris à lire et à écrire en prison. » Depuis, la maturité et la réflexion aidant, toujours servi par son humour, Roger s'est tissé un important réseau d'amitiés à l'intérieur comme à l'extérieur de la prison. Il compte plus de quarante correspondants à travers le monde, animant ainsi une inestimable réserve de réconfort moral et émotionnel.

« Retard mental au moment des faits, pauvreté, incompétence d'un avocat commis d'office, décisions de justice prononcées pour des raisons politiques – en contradiction avec les faits –, conditions de détention difficiles, le cas de Roger Collins est semblable à celui de beaucoup d'autres condamnés à mort aux États-Unis. »

Cependant pour ne pas oublier la singularité de chacune de ces tragédies, la seule propriété que les locataires du couloir de la mort peuvent encore revendiquer, il est important de rappeler l'histoire de Roger Collins...

La scène se déroule dans une maison de banlieue du sud des États-Unis, dans les années 1960. Dans un quartier semblable aux ghettos qui regroupent les Afro-Américains dans toutes les villes du pays, une bande de gosses habillés à la fortune du pauvre traîne entre chien et loup le long des blocs rectilignes. À la recherche d'un soda, ils jouent entre les voitures avec un enjoliveur ou parfois avec un pneu, pour passer le temps avant de rentrer chez eux.

La porte franchie, l'ambiance s'électrise. Pris de boisson, un homme invective sa femme. Celle-ci se détourne un instant, ne cherchant plus à contenir son agresseur mais à lui échapper. L'homme la rattrape et lui assène de violents coups de poing dans le dos. La femme se rue vers un tiroir, s'empare d'un couteau de cuisine et poignarde son mari.

Roger Collins a quatre ans. Cette scène est son premier souvenir d'enfance. La blessure de l'homme n'est ni grave ni profonde. La querelle n'en est qu'une parmi tant d'autres pour Lois, la mère de Roger, et Johnny, le beau-père dont Roger porte le nom faute d'avoir connu son géniteur. Lola, sa sœur aînée, en témoigne : « Johnny avait l'habitude de sauter sur ma mère, de la battre, et de lui donner des coups de couteau. Roger et moi, nous pouvions voir ce qui se passait car la porte restait toujours ouverte. »

Non seulement témoin, mais aussi victime de la violence de cet homme qui le frappe avec sa ceinture et qui abuse sexuellement de lui à l'âge de six ans, Roger raconte : « Cet homme [Johnny] me haïssait et cherchait toujours à me faire du mal – allant même jusqu'à me priver de nourriture et à faire manger ses enfants devant moi. Il avait aussi pris l'habitude de me boucher le nez et la bouche jusqu'à ce que je perde connaissance. Au début, j'ai cru que je faisais de mauvais rêves – parce qu'il agissait ainsi lorsque j'étais endormi. Mais une fois, il m'a appliqué ce traitement alors que je m'étais réveillé et j'ai su que ce n'était pas un cauchemar. »

Le dénommé Johnny n'a de cesse de terrifier et de harceler Roger, soumis à ce régime de trois à douze ans. « Il prenait ma tête et la cognait contre son genou pour me faire perdre conscience (il avait vu ça dans des matchs de catch). Il me frappait sauvagement jusqu'à ce que je ne puisse plus crier. [...] Il continuait à me battre de toutes les façons imaginables. Avec des câbles de télévision. [...] Il m'appelait de noms horribles et me traitait d'enfant diabolique. Il disait qu'il n'y avait pas de bien en moi et que je devrais être jeté dans la rivière. »

Aujourd'hui, Roger Collins parle encore de ce beau-père qui le haïssait autant que lui-même, petit garçon, le craignait : « Il a tout fait pour me détruire en tant qu'être humain et pendant longtemps il y a réussi. [...] Il n'y avait pas un seul être à qui je pouvais demander de l'aide. [...] Je suis rentré si profondément en moi-même que j'ai fini par trouver une liberté totale. C'était comme si je me jetais d'une falaise intérieure. Je tombais en chute libre jusqu'au point où je ne ressentais plus rien. Pourtant la peur ne me quittait pas. »

Disputes et bagarres, séjours en prison et déménagements à la cloche de bois rythment alors le quotidien de la famille. « Allant jusqu'à habiter huit logements différents en deux ans », Roger ne parvient pas à s'adapter à l'école. Un diagnostic médical dénonce à l'époque son « incapacité d'apprentissage ».

À treize ans, Roger choisit la rue. La cueillette des fruits, la vente des canettes en aluminium, un emploi dans une station-service et de menus larcins lui procurent les moyens d'assurer sa subsistance. « Je ne regrette pas d'avoir vécu dans les rues, dit-il, c'était mieux qu'à la maison. » Il ajoute : « Ma famille était tout ce que j'avais et comme un enfant, je la faisais toujours passer en priorité. J'étais là pour ma famille bien qu'elle ne soit pas là pour moi. »

Sa cousine Faye Wilson se souvient de sa bonté et de ses attentions pour aider sa mère trop souvent dans l'impossibilité de régler les factures : « J'ai été la première à l'appeler un "homme" parce qu'il essayait tout le temps d'être l'homme de la maison et de rendre les choses plus faciles pour Lois et les enfants. » Cependant, il lui faut attendre une dizaine d'années avant que sa mère, un moment paralysée de la taille jusqu'aux pieds, quitte Johnny, laminé par l'alcool, et parte avec ses enfants pour la Géorgie.

À peine installée dans sa nouvelle vie, Lois rencontre de nouveau l'amour sous les traits de William Durham, ce filou de Bill, un gars de vingt-quatre ans qui a onze ans de moins qu'elle et six ans de plus que Roger. Le temps de la lune de miel, Durham semble correspondre aux attentes de chacun. « Attentionné », il ramène de l'argent à la maison pour « les dépenses domestiques ». Procurant à Roger sa première voiture, il lui obtient même une place dans l'équipe locale de base-ball. Puis le comportement de Durham se modifie... La gentillesse cède la place aux explosions de colère, à la violence, à la cruauté. Air trop connu. La famille Collins vit de nouveau dans la crainte et « l'adoration de Roger se change en peur ».

D'instinct, Roger, déjà si souvent molesté, maintient « une certaine distance » entre lui et son nouveau beau-père qui le rudoie brutalement et se vante parfois de son passé criminel pour mieux manipuler les émotions de l'adolescent.

Pour réconcilier les deux hommes, une nuit de novembre 1977, Lois, déçue « de voir son fils perdre son modèle paternel », organise un barbecue. Toujours dans le but de les rapprocher, elle les envoie ensemble chercher de la bière. En cours de route, Collins et Durham passent prendre J.C. Styles, le cousin de ce dernier. Lorsqu'ils croisent Delores Lester, une ancienne petite amie de Roger, ils l'invitent à se joindre à eux. Puis ils poursuivent leur virée en continuant à rouler et à boire de l'alcool. Après un arrêt remarqué dans un magasin, Durham sort de l'agglomération sous prétexte de se rendre dans une boîte de nuit située en dehors de la ville. En réalité, il se dirige vers un champ désert où il immobilise la voiture. Les trois hommes se jettent sur Delores. Quand ils ont tous abusé d'elle, Durham entraîne Delores dans l'obscurité et demande à Roger de le rejoindre avec le cric de la voiture. Styles, resté près de la voiture, entend quatre coups secs. Durham et Roger le rejoignent. Delores est morte.

Au cours des vingt années suivantes, le témoignage de Roger ne varie pas : « Je n'ai pas participé sciemment au meurtre. J'ai dit à Durham qu'il ne fallait pas la tuer, qu'il devait la ramener chez elle. Durham m'a envoyé chercher le cric. Quand je suis revenu, elle était déjà par terre. Je lui ai tendu le cric et je suis retourné à la voiture. Je ne l'ai même pas vu la frapper. »

Collins insiste : « J'étais juste un gamin qui faisait ce qu'on lui disait de faire. J'admets ma part dans le crime, j'ai mérité la prison, mais je n'ai pas mérité la mort. » Traumatisé, effrayé, l'esprit confus à la limite de l'arriération mentale, sous l'emprise de Durham qui, rappelons-le, le maltraitait pour mieux se faire obéir, Roger ne discerne pas la gravité de ce qui se passe cette nuit-là. Il a déjà assisté dans son enfance à de si nombreuses scènes de violence qu'il ne réagit pas quand il voit la beuverie se terminer en drame.

Avec la même naïveté, il ne comprend pas davantage le verdict qui lui tombe dessus au tribunal. « On m'avait expliqué, raconte-t-il, que l'État voulait une condamnation à mort, mais c'était si énorme que je ne comprenais pas ce que cela signifiait. [...] Bien que j'aie vécu dans ce pays toute ma vie, je n'ai jamais imaginé que je pouvais être concerné par la peine de mort. »

C'est presque avec reconnaissance qu'il accueille un avocat commis d'office. « Je pensais que j'avais de la chance, dit-il. Quand vous n'avez pas l'habitude de voir des gens faire des choses en votre faveur et que tout à coup quelqu'un travaille pour votre bien, vous en concluez qu'ils veulent prendre soin de vous. »

L'illusion ne dure pas longtemps. « Du début à la fin, commente aujourd'hui Roger avec le recul, l'avocat n'a jamais été de mon côté. Il n'a même pas appelé à la barre des experts qui auraient pu témoigner pour moi. Il aurait pu émettre un grand nombre d'objections, mais il était tout à fait incompétent. À un moment, il s'en est même pris à une personne qui témoignait en ma faveur. »

« Pour obtenir la peine de mort, mentionne le dossier déjà cité, l'accusation devait mettre en avant une circonstance aggravante du meurtre. La circonstance choisie fut le viol. » Faute de preuves, le juge envisage même de retirer la charge, mais l'accusation s'acharne et cite le témoignage de Styles. En échange de l'abandon des poursuites judiciaires contre lui, celui-ci apporte la seule preuve conséquente : une déclaration en totale contradiction avec celle qu'il fournira quelques semaines plus tard lors du procès de Durham.

Au procès de Roger Collins, Styles ne parle pas plus des ébats amoureux de l'accusé et de Delores à l'arrière de la voiture que du refus et des protestations de celle-ci quand Durham cherchait à la forcer. Ce n'est qu'au procès de Durham qu'il y fait allusion. Lorsque le procureur du district insinue qu'ils avaient kidnappé leur victime selon un plan préétabli, Styles déclare qu'à plusieurs reprises Collins et lui avaient demandé à Durham de laisser Delores partir. « Sur les lieux du crime, fit alors Styles, Collins a dit à Durham qu'il fallait rentrer à la maison où l'attendait son autre petite amie... » Lors du second procès enfin, il lâche que Roger était revenu le premier à la voiture.

« Le procureur du district, explique encore Roger, affirma que si j'avais tué Delores, c'était parce que je l'avais violée – sinon pourquoi serait-elle morte ? Mais, s'il y avait eu un plan pour la violer et la tuer, pourquoi serions-nous passé par un magasin ? Le propriétaire du magasin a témoigné plus tard que Bill était saoul et pris de folie, que nous avons fait un boucan du diable pendant un bon bout de temps, et qu'il était impossible de ne pas se souvenir de nous... »

Mauvaise foi évidente des uns, manque d'à-propos des autres, acharnement de l'accusation, détermination de l'État. Rien d'étonnant ensuite que les preuves physiques, qui auraient permis d'établir l'innocence de Roger, n'aient été « révélées » ni au cours de l'audience préliminaire ni au cours du procès lui-même. Car jamais ne furent évoqués ni même cités le rapport d'autopsie de Delores, tuée par quatre coups assenés sur la tête avec le cric, la chemise – immaculée – de Roger et les tests réalisés sur cette chemise, conservée par la police après le crime.

Trop jeune, trop inexpérimenté, Roger assiste à un procès où personne ne s'implique, surtout pas son avocat, seulement préoccupé de savoir si l'accusé connaissait des personnes de couleur blanche éminemment respectables qui auraient pu faire de « bons témoins », et qui ne demande même pas à la mère de Roger ni à sa famille ou à ses amis de venir dire un mot en sa faveur.

Un défenseur incapable de s'émouvoir ou de décrire la faiblesse psychologique de son client. Un nouveau procureur de district déterminé à imposer la peine de mort.

De couleur noire, déclaré coupable de viol et de meurtre, Roger est condamné à mort par un jury composé de onze personnes de couleur blanche et d'une seule de couleur noire.

Le procès de William Durham se déroule après la condamnation à mort de son beau-fils. Considéré comme un héros sportif dans la communauté locale pour avoir gagné, une lointaine année, le championnat de football, Durham fournit des témoignages — dont beaucoup proviennent de personnes blanches — pour attester sa respectabilité. Fort d'une certaine expérience du système judiciaire, il loue lui-même les services d'un avocat.

Histoire classique. Durham passe un accord avec l'État : il reconnaît sa culpabilité concernant deux meurtres antérieurs en échange d'une condamnation à perpétuité. Avec trois meurtres à son actif, Durham échappe cependant à la peine capitale et purge tranquillement son temps dans l'attente d'une libération sur parole.

Styles, le témoin à charge, obtient l'immunité — en dépit des incohérences de son discours — parce qu'il déclare que « tout ce qu'il a fait l'a été sous la contrainte de Durham ».

Du couloir de la mort du pénitencier de Jackson, en Géorgie, Roger écrit : « En attendant ma condamnation, j'ai pensé être mis à mort sur-le-champ. Mais quand j'ai été emmené en prison, rien ne m'a été expliqué. J'ai vu le fauteuil du coiffeur et comme je pensais qu'il s'agissait de la chaise électrique, je me suis assis dessus parce que je croyais que c'était ce que je devais faire. Les autres prisonniers se sont mis à rigoler. Je me suis alors installé dans ma cellule en m'attendant à être appelé d'un moment à l'autre pour mon exécution. Je me rappelle avoir été vraiment heureux en apprenant qu'il me restait au moins six ou sept ans à vivre... »

Installé dans une cellule de deux mètres sur trois avec, pour seules commodités, un évier, des toilettes, un meuble de rangement sans tiroirs et un lit, il ne dispose d'aucune table pour manger et doit écrire sur ses genoux. À l'instar des autres prisonniers, Roger se voit sans cesse tourmenter par les gardiens.

« Quand je suis arrivé en prison, tout ce que j'étais ou n'étais pas s'est intensifié. Je n'avais jamais connu une telle terreur, une telle confusion. Je me trouvais dans un monde d'une rare violence, un monde sans secours, sans espoir, glacial, encore plus dur que celui que j'avais connu auparavant. La démence m'entourait. J'ai essayé d'y résister. [...] Les gardiens créaient des situations qui poussaient les prisonniers à se dresser les uns contre les autres ; ils nous battaient. Je me suis défendu plus que bon nombre d'hommes ici. On m'a frappé au point de me faire des trous dans la tête, on m'a porté des coups de couteau, on m'a brûlé. On m'a jeté dans l'isoloir, une cellule sans rien d'autre qu'un trou dans le plancher, des jours sans nourriture. Quand il y en avait, il m'est arrivé de ne pas y toucher pendant quinze jours. [...] Au trou, on avait un régime particulier, la "bouillie", une sorte de ciment mixé, épais et gris. »

Vingt ans après, Roger Collins ne s'est toujours pas habitué aux brimades. Il se souvient des terreurs passées ou toujours actuelles.

« Quand les gardiens se fâchent contre vous, ils vous mettent tout nu au trou, ils vous arrosent puis ils mettent les ventilateurs en marche, fenêtres ouvertes. Cela se fait souvent en hiver. On tombe malade, et on se voit refuser les soins médicaux. La première fois qu'ils m'y ont envoyé, j'avais dix-neuf ans. J'avais une blessure ouverte au crâne. Ils ont attendu le lendemain pour faire des points de suture. Entre-temps j'avais tant saigné que ma tête s'était collée au lit de métal.

« Quand on se trouve dans le couloir de la mort, sans famille ni amis pour remettre en question les agissements des gardes, ils font ce qu'ils veulent. Ici, les malades mentaux sont souvent battus et maltraités. [...] Il existe une équipe spéciale chargée de nous mater, que nous appelons *the goon squad* (l'escadron des matons batteurs). Détenu dans le couloir, tu n'es plus considéré comme un être humain ; condamné, tu n'as plus de droits. Traités comme des bêtes, les malades mentaux ne sont pas aidés psychologiquement. On leur donne des cachets et on les ignore.

« Quand vous avez un visiteur on vous fait subir une fouille au corps, on vous fait passer par un détecteur de métaux, puis vous avez droit à une nouvelle fouille au corps et à un autre passage par le détecteur de métaux. Le détecteur est ajusté de telle manière qu'il est extrê-mement sensible et se déclenche pour la plus petite pous-sière métallique, ce qui leur donne un prétexte pour vous fouiller et vous harasser encore. »

Après les cinq premières années passées en état de choc dans le couloir de la mort, le cauchemar de Roger change de registre pour sombrer dans un mauvais scé-nario politique.

Malgré la mauvaise volonté des autorités pour qui apprendre à lire et à écrire est une perte de temps, Roger reprend lentement sa destinée en main. Il s'astreint à ne plus songer à la mort et s'obstine de nouveau à vivre. Poussé par le besoin d'être compris et d'avoir le droit d'être entendu, il se forme lui-même. Il entreprend ensuite de recourir à la procédure des appels. Il en présente une dizaine au total au niveau fédéral et au niveau de l'État, y compris l'appel en habeas corpus. Malgré les caprices d'une justice moins fiable qu'un jeu de hasard, Roger persévère.

En 1987, lorsque le cas de McCleskey contre Kemp soulève le problème du racisme et de la peine de mort, Roger voit une fois encore ses espoirs déboutés : « À cette époque, étant le seul condamné noir accusé d'avoir tué une victime noire, j'ai été utilisé comme exemple pour prouver que les juges avaient aussi du respect pour les victimes noires. »

À ses dépens, Roger apprend que l'injustice ne peut pas être réparée, que l'on ne peut pas revenir en arrière et refaire un procès car le système judiciaire ne le permet pas. Dans l'examen des faits, chacune des cours d'appel admet que le détenu a raison ; ils nomment cela une « erreur bénigne ». Pour eux, ce cas aurait dû être réglé depuis des années. Dans le même temps, il est impossible pour le condamné de bénéficier de la rétroactivité. « Cela a marché pour d'autres gens, mentionne-t-il, mais pas dans mon cas. »

Au cours de ses appels, Roger n'a pas le droit de réintroduire des preuves vitales : les indices matériels dissimulés au jury lors de son premier procès, le témoignage de Diana, la femme de J.C. Styles, enregistré sous serment le 10 juillet 1982 et dans lequel elle certifie que, pendant ses visites au pénitencier, son mari lui a souvent répété que Collins n'avait pas tué la fille et que Durham avait été le seul à la frapper.

À plusieurs reprises, durant ces deux longues décennies dans le couloir de la mort, alors que William Durham peut envisager une libération anticipée, Roger Collins, toujours surpris de la trahison de son ex-beau-père dont il n'a jamais pu obtenir un aveu de culpabilité, se voit signifier à une dizaine de reprises qu'il va être exécuté. Sans suite. Une fois, le sursis arrive deux jours avant la date fixée, une autre fois à six heures de la mort. En 1991, l'espérance renaît en lui lorsque le cas de Jerome Bowden — un homme souffrant d'arriération mentale exécuté en Géorgie en juin 1986 — provoque un débat national et lui permet d'obtenir un nouveau sursis.

Aujourd'hui, pour Roger, il existe « une vie au-delà du couloir de la mort ». Garder son sang-froid, prendre chaque jour comme il vient lui permettent de tenir le coup. Laissant derrière lui son passé de honte, de regrets, de solitude, de douleur, un passé où il ne croyait en rien parce que personne ne croyait en lui, il entretient l'espoir qu'un jour il sera dehors avec une femme, une famille et une maison et qu'il connaîtra le respect et le bonheur que son père et ses beaux-pères ont toujours refusé à leurs proches. Retrouver la liberté serait pour lui une renaissance, un nouveau départ, une chance de mettre en place un ranch pour les jeunes garçons en difficulté, afin de pouvoir les aider à sortir de la pauvreté ou du crime.

Enfermé depuis maintenant vingt-trois ans, Roger Collins a mûri et les phrases qu'il écrit sont révélatrices de la profondeur de ses pensées. « La plupart des gens sont en prison à cause du manque d'argent ou juste parce qu'ils ont paniqué... La peine de mort augmente le nombre des victimes. Bien qu'elle n'ait rien fait, ma famille est victime. Selon les gens, Dieu prend soin des choses, cela les dégage de toute responsabilité ; mais la vie n'est pas seulement une affaire de religion, c'est aussi une histoire de relations entre les êtres, afin de donner au monde, à soi-même et à Dieu ce qu'il y a de meilleur en chacun. »

Traumatisé par les atrocités d'un monde qu'il n'avait « guère compris » lorsqu'il était en liberté, Roger Collins a trouvé des repères de comportement à force d'opiniâtreté tout en préservant son innocence et sa pureté naturelles. « Je ne me sens pas amer à propos de ce qui est arrivé. Si on éprouve de l'amertume, c'est que l'on ne s'est pas pardonné. Le système judiciaire est lui aussi plein d'amertume, c'est pourquoi il met l'accent sur la punition, par opposition aux solutions. L'amertume représente tout ce qui est négatif et empêche les personnes de changer. »

« Alors que Roger Collins s'approchait de moi, rapporte un volontaire du Southern Prisoners Defense Committee, son visage se fendit d'un large sourire. En l'espace de quelques minutes, il me mit complètement à l'aise. Je n'avais pas pensé à ce que serait mon attitude envers un condamné à mort. [...] Si Roger devait être libéré demain, je suis certain que nous continuerions à être amis. Il s'exprime avec aisance, il est agréable, sympathique, chaleureux. [...] Je n'oublierai jamais ma rencontre avec Roger. »

Nous non plus, nous n'oublierons pas Roger Collins. À travers son témoignage, il a su trouver les mots justes pour nous toucher, il a laissé une empreinte dans nos cœurs comme ces mots qu'en novembre 1999 il n'avait de cesse de répéter : « Maintenant, je veux vivre. C'est ce que je veux, je veux vivre. »

Dans ses propos recueillis sur le site amnesty109.multimania.com, il exhorte chacun à se transformer, à agir en conscience : « Je suis sorti de mon refuge intérieur pour changer. Pour la première fois de ma vie, je suis d'une certaine manière bien dans ma peau. Les gens et les choses ne me sont plus indifférents. J'ai changé parce que je le voulais. Rien de précis ne m'a poussé à m'améliorer. C'est simplement un choix, un désir de faire quelque chose de ma vie en dépit de tout, de tendre la main...

« Je vous demande à tous de vous rappeler ceci : quoi qu'il vous arrive dans la vie, quelle que soit l'horreur qui vous traque, il faut trouver un point dans votre désert où puiser la force de maintenir le goût de la vie même dans le pire enfer. C'est à vous de changer ce qui ne va pas. Si j'avais su ce que je sais aujourd'hui, j'aurais été meilleur. J'étais jeune, perdu, victime de ma colère, mais à présent je sais que j'aurais pu mieux faire.

« Beaucoup de gens sont en prison pour des crimes qu'ils n'ont pas commis. Beaucoup d'entre nous en sont arrivés là parce qu'ils n'étaient pas en mesure de prendre de bons avocats. Vous ne pourrez peut-être rien faire pour moi. Mais vous pouvez me montrer que la justice compte pour vous. [...]

« Le principe de base des droits de l'homme et des droits civils n'est jamais totalement acquis. [...] Je ne vous demande pas de soutenir ni de justifier les actes qui enfreignent la loi. Un homme ou une femme coupable doit payer. Mais le droit de vivre et de respirer doit rester intact, pour le bien de tous. Les États-Unis ont tout pour être un grand pays, mais ils gâchent leur grandeur par leur triste politique en matière de droits de l'homme.

« Que Dieu vous garde, les jeunes. Restez toujours conscients des questions sociales. À vous de jouer ! »

Au cours du premier semestre 2001, la Cour suprême de Géorgie doit délibérer et statuer sur le thème suivant : « La chaise électrique utilisée dans cet État est-elle anti-constitutionnelle ? » En clair, ne constitue-t-elle pas un moyen trop barbare ? Si elle répond par l'affirmative, Spivey, un condamné à mort qui devrait être exécuté de cette façon à la même période pourrait bénéficier d'un sursis. Cette jurisprudence pourrait également valoir un nouveau sursis à Roger Collins.

Sources

Amnesty International, groupe 288
http ://perso.wanadoo.fr/ai288/pdm
http ://amnesty109.multimania.com

Comité de soutien

Vendla Meyer : vendla@ihes.fr

Adresse du prisonnier

Roger Collins
EF 109620 G3-84
PO Box 3877, GD & CP
Jackson, GA 30233
USA

Site Internet

www.rogercollinsdeathrow.com

DARLIE ROUTIER

En 1996, Darlie Routier, une jeune mère de famille de vingt-sept ans, voit ses deux fils aînés se faire tuer sous ses yeux. C'est du moins ce qu'elle prétend. Car, soudain, elle perd son statut de victime et devient une suspecte, une menace, une criminelle promise au couloir de la mort. Actuellement, toujours en prison, elle se bat non pour retrouver le bonheur mais pour au moins reconquérir sa respectabilité.

Un visage ravissant, un corps de naïade, mariée, mère de trois adorables bambins, Darlie Routier mène, à Rowlett, au Texas, l'existence de toutes les ménagères de la classe moyenne, selon les critères standardisés du mode de vie américain... Elle a tout pour être heureuse. Et pourquoi ne le serait-elle pas ? Tout lui sourit. On l'imagine sans peine mâchouiller un bout de guimauve et murmurer toutes les cinq minutes des « *Great !* » pour signifier que tout va bien, que c'est géant !

Et puis un matin d'été, le 5 juin 1996, le joli conte tourne au cauchemar. Deux de ses enfants sont assassinés, elle-même est blessée. Affolée, au bord de l'hystérie, elle appelle le 911 et dénonce l'agression : un intrus a pénétré dans la maison et a attaqué ses deux plus grands fils avant de s'en prendre à elle.

La police et les premiers secours arrivent. Ils constatent que Devon (six ans) est mort à la suite de nombreux coups de couteau dans la poitrine. Damon (cinq ans) est transporté à l'hôpital mais meurt en cours de route. Darlie reçoit des soins aux urgences, puis elle est mise en observation. Elle porte de multiples entailles sur le cou, les bras et les épaules. Encore sous le choc, elle dit ne se souvenir de rien. De rien de cohérent. Ayant perdu tout sens commun, elle se contredit, marmonne des allégations confuses. Elle a le regard vide, on la sent prête à sombrer dans la folie. Mais après pareille horreur, qui ne souhaiterait pas l'amnésie ?

Cependant, les enquêteurs ne croient pas à sa version des faits. Il leur apparaît peu plausible qu'elle se soit réveillée, ait vu un ou deux agresseurs, leur ait arraché leur arme, les ait chassés, et ait ensuite appelé son mari. Déjà les charges pèsent sur la jeune femme. Le district attorney de Dallas l'inculpe pour l'homicide de ses enfants et l'accuse de s'être infligé ses propres blessures.

Le cas déchaîne les passions. Ceux qui croient qu'elle a été injustement accusée créent un comité de soutien, présidé par son mari, sur un site Internet : « L'évidence de l'innocence ». Les autres se regroupent pour hurler à la mort et réclamer justice, Internet aussi à l'appui. Ils exigent la peine de mort pour celle qui a osé faire surgir l'ignominie dans leur communauté conservatrice, indifférente à la souffrance d'une mère.

Ses défenseurs, sa famille, des amis parlent d'une voiture noire qui aurait été vue dans le voisinage plusieurs jours de suite, notamment la nuit du crime. Leurs adversaires contre-attaquent alors et avancent l'hypothèse que les passagers de la Sedan noire se sont arrêtés comme beaucoup de curieux pour admirer la fontaine qui fait l'originalité du jardin des Routier.

Même débat pour l'arme et les indices. Les empreintes. Le choc de Darlie. Les témoignages des infirmières. Les arguments positifs ont vite fait d'être contestés et récupérés par la partie adverse. Les commentaires vont bon train et sont mis en ligne sur les sites des différents antagonistes.

On voit se dresser et s'insurger les justiciers du Nouveau Monde, esprits bien pensants qui se pressent aux exécutions comme s'ils allaient à un spectacle de Broadway, et se gavent à la télévision d'*American Justice*, une émission sur les crimes les plus fameux du siècle – le cas de Manson, l'assassinat de John Lennon, entre autres.

Au procès, la peine de mort est requise et obtenue. Darlie Routier rejoint le couloir de la mort dans la prison de Gatesville, au Texas. Encore une fois, le cas de la jeune femme ne fait pas exception. Aux États-Unis, un coupable peut cacher un innocent. Il n'est pas bon de trouver un mort dans sa famille, dans sa maison ou par inadvertance. Très facilement, on peut se retrouver suspect, coupable d'avoir été présent au mauvais endroit, à la mauvaise heure ; et l'on devient la proie de juges ou de politiciens ambitieux et obsédés par l'idée d'atteindre leur quota dans la lutte nationale contre la criminalité. On l'a vu avec Timothy Davis. Et d'autres détenus du couloir de la mort peuvent malheureusement cautionner ce constat. Certains, tel Gary Gauger, ont pu connaître une issue heureuse après cinq années de cauchemar.

Un film qui relate l'histoire de Darlie Routier sortira en septembre 2001. *Mother on the death row*, produit par l'équipe d'*American Justice,* retrace la tragédie de la jeune femme et apporte des images, des preuves inconnues du public. Espérons tout du moins que ce film puisse aider Darlie Routier à faire triompher, à défaut de justice, la vérité.

Adresse de la prisonnière

Darlie Lynn Routier
999220/MPF
2305 Ransom Road
Gatesville, TX 76528
USA

Site Internet

www.fordarlieroutier.org

THOMAS JOE MILLER-EL

En novembre 1985, à l'âge de trente-trois ans, Thomas Joe Miller-El, père de famille nombreuse et chauffeur-livreur à Houston, est abattu par une équipe d'intervention spéciale de la police. Après dix jours de coma et plusieurs semaines entre la vie et la mort, Thomas Miller se réveille. En état d'arrestation. Pour justifier la bavure policière, il se retrouve accusé avec sa femme Dorothy d'un cambriolage, d'un meurtre et d'une tentative de meurtre pour lesquels il est condamné à mort en mars 1986.

De toutes les histoires abominables, celle-ci est la plus effroyable car elle met en jeu les plus bas instincts de l'homme et montre les abîmes du pouvoir de manipulation. Chaque fois, on croit avoir atteint le seuil de l'ignominie. Hélas, il y a toujours pire. Les persécutions endurées par Thomas Miller atteignent un sommet dans la cruauté et le souci délibéré de nuire et de détruire un être humain.

Jusqu'en novembre 1985, Thomas Miller mène une existence modeste mais bien remplie, pauvre mais infiniment heureuse en comparaison avec ce qu'il va vivre par la suite.

Né au début des années 1950 dans les quartiers réservés à la communauté noire d'une petite ville du Texas, il a connu une enfance sans drame. S'il a été surpris dans sa jeunesse en train de commettre deux délits de vol, il a payé à chaque fois sa dette par une condamnation, suivie d'une incarcération et n'a plus jamais récidivé. La maturité arrivant, serein, assagi, il s'est révélé être un homme réfléchi et généreux aussi bien dans l'exercice de son travail de chauffeur de taxi, puis de livreur, que dans sa vie personnelle. Marié à Dorothy, il lui a appris à lire, à écrire, à conduire afin de l'émanciper, de lui donner confiance en elle et de la rendre indépendante.

Avec Dorothy, leurs deux enfants et ceux nés avant leur rencontre, Thomas est satisfait. Fort de l'amour de la femme de sa vie et de sa famille, il sait pourquoi il se lève le matin et ce 21 novembre 1985 ne fait pas exception.

Employé par la firme UPS, une société de courrier express, il se retrouve donc, pour les besoins de son emploi, tard dans la soirée avec son fourgon dans une rue en cul-de-sac des faubourgs huppés de Houston. La son de la cassette est poussé à fond, mais, soudain, tous les sens en éveil, il oublie la musique et sa bonne humeur. Il immobilise son véhicule pour scruter l'obscurité.

Dans la pénombre, il devine plusieurs silhouettes d'hommes vêtus de noir, armés comme des mercenaires. Sans s'interroger davantage, craignant de tomber sur des malfrats, il appuie sur l'accélérateur, tourne le volant et entame un demi-tour. Il n'a pas le temps d'achever sa manœuvre que déjà, sans aucune sommation, les hommes ouvrent le feu.

Surpris par la violence de l'attaque, secoué par l'impact des projectiles ARK-15, Thomas voit en quelques secondes sa cabine se transformer en passoire. N'ayant plus d'autre recours pour échapper à l'embuscade, il se décide à sortir de son fourgon et tente de s'enfuir en courant. Bientôt touché dans le dos, il s'effondre face contre terre.

Thomas raconte.

« Quand la bande armée s'approche, je retiens ma respiration et les cris de souffrance que provoquent mes blessures. La balle qui m'a atteint dans l'échine a explosé les chairs, ricoché dans le flanc gauche et rebondi dans l'estomac. Les tripes à l'air, je fais le mort. Les brutes se rapprochent. À ce moment ils me donnent des coups de pied. L'un s'agite :

– Le nègre est mort ? Le nègre est mort ? S'il ne l'est pas, achève-le ! »

Les bruits deviennent confus. Il s'évanouit. Il sombre dans le coma et y restera une dizaine de jours. Lorsqu'il reprend conscience, il apprend la fin de cette nuit de malheur.

La police de Houston est arrivée avant que les hommes en noir aient mis leur projet à exécution. On imagine la scène. Un blessé presque mort à leurs pieds, ces derniers se présentent. Ce ne sont pas des truands. Ils sont même de l'autre côté de la barrière. Ils appartiennent à la Swat Team of Houston, une équipe d'intervention très spéciale, réputée pour ses méthodes de commando sans pitié et ses manières plus qu'expéditives de régler les conflits ! Pour l'anecdote, on raconte qu'un jour un homme les avait appelés pour secourir son frère qui menaçait de se suicider et que l'équipe l'avait descendu sans sommation.

Ce soir-là, fait trop inhabituel pour ne pas être mentionné, ils ne portent aucun insigne qui puisse permettre leur identification. Mais ils n'ont pas besoin de fournir d'explications, l'homme blessé par eux ne peut être qu'un hors-la-loi. C'est pour cette raison que la police de Houston le dépose toujours vivant devant l'entrée de l'hôpital, contre un mur, sans prendre le temps de le conduire aux urgences. Le lendemain de la fusillade, Dorothy apprend la « mort » de son mari à la radio.

Pour justifier les actes du Swat Team, Thomas et Dorothy sont accusés d'avoir braqué l'Holiday Inn d'Irvin, à 250 miles de là, près de Dallas, et d'avoir causé la mort du concierge blanc et la paralysie d'un autre employé, également blanc.

Abattu le 21 novembre 1985, Thomas reste entre la vie et la mort pendant neuf jours, au service des soins intensifs, sous perfusion et oxygène. Son état demeure critique de nombreux mois. La balle reçue dans le dos a traversé la poitrine de Thomas et provoqué – outre une douleur insupportable – de graves lésions qui ont du mal à guérir. La ceinture abdominale, le foie, le pancréas, l'estomac, touchés, se restaurent difficilement, et la blessure ouverte au ventre a entraîné un débordement des intestins qui achève de l'épuiser. Un affaiblissement des défenses immunitaires et une anémie le rendent vulnérable à la moindre infection.

Au moment où l'accusation se déchaîne contre lui, le 12 janvier 1986, il est extrêmement affaibli ; quatre jours plus tard, quand il sort de l'hôpital et est transféré à l'infirmerie de la prison de Dallas, son état ne fait qu'empirer. Touché par une pneumonie en février, il se retrouve dans l'incapacité physique et morale de préparer l'audition préliminaire du 31 janvier et son procès qui se déroulera jusqu'à la fin mars.

Le rapport médical fourni par Dorothy n'est qu'une longue suite de constats barbares dénonçant une pathologie gravement développée, un corps torturé mais aussi une résistance hors du commun, voire miraculeuse, qui assure la survie d'un homme médicalement condamné et qu'une assistance médicale insuffisante maintient dans une situation désespérée.

Pendant tout le déroulement de la procédure, qui durera trois mois au cours desquels il ne sera pas vraiment soigné, Thomas a du mal à se concentrer et à suivre les débats tant il souffre, traversant même des moments d'inconscience qui feront dire à ses détracteurs qu'il se désintéresse de son sort !

L'accusation en profite pour reprocher à Thomas Miller d'avoir commis un cambriolage, un meurtre et une tentative de meurtre.

À charge, les deux victimes blanches.

À charge, le témoin paralysé survivant qui, au cours de l'enquête, a nié par trois fois avoir reconnu l'inculpé. Au procès cependant, il assure le contraire. Lorsque l'avocat de Miller lui demande à brûle-pourpoint s'il a subi des pressions, sans réfléchir il réplique un vague « oui », puis ses yeux rencontrent ceux du procureur, qui le toise sévèrement, il se reprend, finalement il bredouille un « non » nébuleux.

À charge encore, un de ses deux défenseurs, « candidat au poste du bureau d'avocats du district, qui avait plus à cœur ses intérêts que ceux de son client ».

Après la révocation des témoins de la défense susceptibles d'innocenter l'accusé en prouvant que ce jour-là il n'était pas à Dallas mais à Houston, un jury constitué essentiellement de Blancs et d'un seul Noir — connu pour ses opinions extrémistes en faveur du châtiment suprême — n'a plus qu'à entériner la sinistre mascarade.

Le 26 mars 1986, Thomas Miller est condamné à mort.

Jugée pour les mêmes faits, Dorothy Miller, sa femme, se voit infliger deux peines de prison à perpétuité pour ne pas avoir accepté de témoigner contre son mari. Le cas de Dorothy sera d'ailleurs revu en 1990. La jeune femme sera libérée en 1992 sans que la révision de son procès ne se répercute sur celui de son époux. Bien au contraire ! Celui-ci ne cesse de pâtir de souffrances d'ordre physique et de contraintes psychologiques plus dures les unes que les autres.

En 1988, sa procédure d'appel est interrompue sous un prétexte fallacieux, une histoire de vice de procédure au moment de sa nouvelle audition. Lors des actions suivantes, les appels en habeas corpus, la mauvaise foi évidente des juges et du système judiciaire texan freine toute évolution, jusqu'à escamoter le dossier médical, déclaré « manquant », et à ne le faire réapparaître qu'après les étapes fatidiques.

En un peu plus de deux ans, de janvier 1994 à juillet 1996, Miller reçoit neuf dates d'exécution. Peu avant le jour de son anniversaire, le 16 avril 1996, Thomas voit sa demande de liberté refusée et son appel rejeté selon les dispositions du quatrième amendement. Le 30 juillet 1996, le cas de Thomas est enfin déposé devant la cour fédérale. Mais l'État du Texas s'oppose ensuite aux cent vingt jours accordés par le juge fédéral... La procédure de l'habeas corpus se poursuit en dépit des obstacles.

Le 5 décembre 1997, une « demande pour l'établissement d'un réel état de fait et une nouvelle enquête » est déposée à la cour fédérale par l'avocate de Thomas. Le 31 août 1999, au regard de la mise à l'écart des jurés par le procureur, acte qui constitue une violation de l'égalité de la protection selon la clause du quatrième amendement, la cour fédérale ordonne à l'État du Texas de fournir une réponse à une requête de l'accusé.

Quand ce ne sont pas les épuisantes « tracasseries » d'ordre juridique, c'est le harcèlement au corps-à-corps avec les instances pénitentiaires de la ville de Dallas qui épuise l'énergie du condamné.

À titre d'exemple, cette sinistre réminiscence. En mai 1995, un jour seulement avant une des dates arrêtées pour sa mort annoncée, le personnel de la prison maintient le prisonnier éveillé avec la « vision de la cellule où est prévue l'exécution » et prend un malin plaisir à lui faire signer nombre de papiers et à l'interroger fréquemment sur les dispositions prises dans son testament. Quand, quelques heures plus tard, Dorothy lui rend une ultime visite, le même personnel les interrompt constamment, prenant pour prétexte l'habillement ou le dernier repas du détenu. Avec un sadisme insondable, on communique à Thomas la décision qui lui refuse la permission de se faire accompagner par sa femme, arguant qu'elle a été incarcérée, mais oubliant délibérément qu'elle a été reconnue innocente.

Toutes ces pressions pour aboutir finalement à un nouveau sursis, un nouvel espoir dont les Miller peuvent à peine profiter, qui permet à peine de respirer tant l'emprise des forces négatives les écrase.

Depuis, le combat de Thomas pour sa dignité est toujours de mise. Transféré d'Ellis Unit à Terrell en février 2000, il subit les mêmes entraves des autorités qui s'acharnent à le casser afin de le faire renoncer à ses appels et à sa lutte. En vain. Thomas Miller n'a plus rien à perdre, si ce n'est le respect de lui-même. Grâce à sa détermination infaillible, il obtient un autre sursis et l'aboutissement d'un autre habeas.

Viviane Andrey, qui anime le comité de soutien de Thomas en Suisse, est allée le voir en novembre 2000. Voici le souvenir qu'elle en garde : « Lors de ma visite, j'ai rencontré un homme incroyablement ouvert d'esprit, à l'écoute de l'autre malgré ce qu'il subit. Au parloir, chaque visiteur lui adresse un geste, un sourire, un signe de salut. Cela fait quinze ans qu'il est détenu. Mis à part les gardiens, tout le monde le respecte pour sa sagesse, son calme et son absence de haine. C'est son sourire qui frappe le plus.

« Dans la mesure du possible, Thomas soutient moralement les autres détenus qui, comme lui, subissent les maltraitances et les harcèlements du personnel de la prison. Je lui ai même passé le combiné avec lequel nous conversions (étant séparés par une vitre) pour qu'il puisse tenter d'apaiser la mère de Tony Chambers, qui allait être exécuté le lendemain.

« L'ambiance était extrêmement tendue puisqu'en ce 14 novembre Stacey Lawton (présumé innocent) vivait ses dernières heures. Ses proches étaient au parloir ainsi que le prêtre et d'autres intervenants. À midi, quand ils sont venus chercher Stacey et que ses visiteurs se sont effondrés, la mère de Tony (qui se trouvait dans la cellule derrière moi) était au bord de la crise de nerfs sachant que la même scène se produirait le lendemain pour sa famille.

« Thomas m'a dit que dès que l'occasion se présentait (tout dépend de quel surveillant se trouve dans la salle des visites), il souhaitait s'adresser aux familles des futurs exécutés afin de leur adresser des paroles de réconfort. Généralement, il est écouté car lui-même se trouve dans la situation de condamné à mort. »

Depuis son incarcération, Thomas a participé à la réalisation de différents projets : *Lamp of hope* (Lueur d'espoir) et *Heritage House*. Mis sur pied à l'initiative de Thomas, *Heritage House* est d'ailleurs plus qu'un projet, c'est une réalité chaleureuse, un lieu d'accueil destiné à héberger des visiteurs, famille et amis de condamnés à mort. Cette maison est en fait une gigantesque caravane, fixée à côté de la maison de Dorothy, qui en assure l'entretien, la gestion et fait les réservations.

Équipée d'une cuisine, de chambres, de douches, d'un salon, avec chauffage, *Heritage House* ne doit sa pérennité qu'au produit de sa location selon les moyens de chacun. Elle permet de se loger dans un environnement moins impersonnel qu'une chambre d'hôtel. Située à Riverside, à deux minutes d'Ellis One Unit, où les condamnés à mort étaient incarcérés jusqu'au printemps 2000, elle est maintenant à un peu plus d'une heure de route du nouveau centre, Terrell Unit, volontairement mal desservi pour décourager les tentatives d'évasion.

Lamp of Hope est une association à but non lucratif créée par les prisonniers du couloir de la mort du Texas. Elle a pour objectif d'éduquer le public sur la peine de mort, de réconforter les familles des victimes, de les aider afin d'interrompre le cycle de la violence.

Pour tromper le temps encore, Thomas continue d'étudier le droit et de correspondre avec ses amis. Ainsi la lettre suivante, qui décrit les conditions d'emprisonnement à Terrell Unit.

« Je vais maintenant vous raconter le déroulement de la vie dans le couloir de la mort.

« Il y a six nacelles pour les condamnés à la peine capitale. Chacune compte quatre-vingt-quatre prisonniers et six sections. Chaque section comporte quatorze cellules, sept de chaque côté du couloir. Au bout de chaque allée, il y a une douche.

« Chaque matin vers 3 h 10, les chariots de restauration arpentent les galeries de la prison. Au moment des repas, deux gardiens et un prisonnier commencent la tournée avec leur chariot chargé de sept plateaux. Les gardes arrivent alors dans la cellule, allument la lumière, te demandent si tu veux manger, parfois ils te parlent comme à un chien et te défient de répondre. Certains s'assoient sur ta banquette. D'autres se contentent de te filer le plateau.

« Le petit déjeuner passe à 3 h 10, le déjeuner à 10 h 15 et le souper à 4 heures de l'après-midi. Le repas est généralement froid et non protégé des germes car les gardiens ne portent rien sur leurs cheveux.

« Ils ouvrent la porte aussi violemment qu'ils le peuvent, de jour comme de nuit, et ils recommencent ceci avec minutie presque toutes les heures. Il faut vraiment être un rude dormeur pour ne pas être dérangé.

« En été, quand le soleil tape, on ne peut pas dormir. J'ai l'impression que mon corps et mon cerveau sont en train de rôtir. Il fait une telle chaleur qu'on ne peut même pas rester allongé sur la banquette du lit. Et en hiver quand il fait froid, c'est tellement horrible qu'on passe son temps à espérer l'été...

« Nous allons dehors une heure par jour. [...] Chaque fois que nous quittons nos cellules, nous sommes obligés de nous déshabiller pour la fouille minutieuse, les mains dans le dos, et les menottes aux poignets... Parfois un gardien joue à te faire valser en te maintenant par le bras. Si tu résistes, tu passes en commission.

« Tous les dix jours, en plus du nettoyage normal, un major envoie deux gardiens blancs dans ma cellule pour faire le ménage par le vide, mon travail autorisé y compris. Un jour que je leur demandais pourquoi ils faisaient cela, ils m'ont dit que j'étais suspecté de faire partie d'une bande dans la prison... Je n'ai jamais fait cela. Ils le savent. Comment pourrais-je le faire d'ailleurs puisque je suis enfermé vingt-trois heures par jour à étudier le droit et mon dossier. Mais ils font n'importe quoi pour nous harasser et nous rendre fous. La haine est si intense, si forte à Terrell qu'ils n'ont pas besoin de parler, leurs vibrations suffisent pour nous faire comprendre leurs sentiments...

« Le courrier est distribué normalement vers 7 heures du soir, mais ils jugent bon de nous faire attendre souvent jusqu'à 9 heures pour jouer avec nous et nous perturber... C'est la même chose avec la radio et les écouteurs... Les journaux et la presse. Si tu es assez fortuné pour en recevoir, ils se débrouillent pour retarder la livraison. Ils nous cherchent querelle, ils veulent nous les confisquer pour un rien dans le seul but de nous isoler et de nous couper du monde extérieur.

« Il nous est interdit de fumer des cigarettes et si nous sommes surpris à le faire, on nous envoie en punition au niveau 3. [...] Ils ont pour objectif de nous tuer mais sur ce plan-là, ils prennent soin de notre santé !

« Les privations créent beaucoup de désordre dans la tête de certains gars qui perdent complètement le sens de la réalité... Ainsi il est permis de rendre des visites tout à fait légales à d'autres prisonniers mais si tu es un Afro-Américain, tu as peu de chance d'obtenir l'autorisation... Enfin quand tu es au parloir, il est interdit de parler à quelqu'un d'autre que ton visiteur. Si un gars que tu connais doit être exécuté le jour même, tu ne peux pas montrer ta compassion ou ton humanité.

« À présent, je suis dans un quartier de sécurité et je ne peux pas recevoir de visites afin de préparer mon dossier, d'aider mon avocat à prouver mon innocence et à sauver ma vie. Tout cela provoque en moi un profond désespoir, un sentiment d'abandon et engendre agitation et dépression.

« Certains prisonniers en arrivent à préférer la mort à la vie... »

En janvier 2001, Thomas fait une grève de la faim pour protester contre sa mise en isolement et les brimades injustifiées. Quelques semaines plus tard, convaincu par son avocat, il arrête son jeûne et quitte le niveau 2, le quartier disciplinaire. Le 17 avril 2001, il attend une réponse de la cinquième cour d'appel des États-Unis sur la recevabilité d'un nouveau recours, le onzième appel. Sinon, à défaut, une date d'exécution.

Comité de soutien

Viviane Andrey
Route de Suisse 97
1290 Versoix
Suisse
Tél. : 00 41 79/633 41 69
E-mail : texe@bluemail.ch

Pour une donation en France

Aide à Thomas – La Poste
compte n° 12 520 69 T (titulaire : Viviane Andrey)
(Pour un virement de banque à poste ou international : 20041
01007 1252069T038 13)

Adresse du prisonnier

Thomas Joe Miller-El #000834
Terrell Unit
12002 FM 350 South
Livingston, 77351 Texas
USA

Sites Internet

www.tdcj.state.tx.us/statistics/deathrow/drowlist/millerel.jpg
www.lampofhope.org

ANTHONY MUNGIN

Petit délinquant noir pendant les vingt-quatre premières années de sa vie, inculpé, jugé et condamné à deux peines de réclusion à perpétuité pour des braquages qu'il a d'ailleurs reconnus, Anthony Mungin est condamné à mort en 1993 pour un vol à main armée et un meurtre qu'il n'a pas commis. L'enquête et le procès ont été bâclés.

Un enfant de la rue. Un enfant de la balle. Parmi les débrouillards et les baraqués. Les escrocs et les guérilleros. Les voyous, les marlous. Un enfant du ghetto. Un ghetto de légende. Un enfant à présent captif. Homme productif. Apôtre prosélyte. Fou de poésie. Telle est la ballade d'Anthony Mungin, le troubadour du couloir de la mort dont la prose passe par ces lignes. La vie d'Anthony Mungin emprunte donc un parcours d'une banalité par trop courante. Pour l'évoquer, cédons-lui la parole.

« Ma famille m'a abandonné il y a plus de dix ans. Ma grand-mère et mes cousins sont les seuls à m'écrire. Aucun membre de ma famille ne m'a jamais rendu visite.

[...] J'ai traversé tellement d'épreuves, écrit-il dans une des lettres adressées à une de ses fidèles correspondantes. De toute mon enfance, je n'ai jamais vu ni rencontré mon père. Ma mère n'est pas morte. Elle n'en a rien à foutre de moi. Elle ne m'a pas élevé. Dès mes cinq ans, elle m'a envoyé chez mes grands-parents, les seuls qui m'aient témoigné de l'affection. Depuis lors, ma mère et moi, nous n'avons eu que très peu de contacts, nous n'avons jamais établi de vraies relations. Très longtemps, j'ai essayé de la retrouver mais toujours sans réponse. Il y a des années que j'ai arrêté de lui écrire. Je ne sais pas pourquoi elle m'ignore. On m'a dit que c'était en relation avec ce que mon père lui avait fait. Dans mon adolescence et ma vie de jeune adulte, je me suis toujours senti seul, égaré, perdu. Pour survivre, je me suis débrouillé, je suis devenu un délinquant. Et j'ai fini par être reconnu coupable à tort... J'ai parfois l'impression d'avoir été à la guerre, la bataille continue, d'une certaine façon, je suis devenu un guerrier. »

Revenons à présent à l'époque des faits. En 1990, Anthony Mungin a vingt-quatre ans. C'est un petit dealer, un vendeur de drogue sans envergure. Il habite Kingsland, en Géorgie, et fait de fréquents voyages à Jacksonville, en Floride, pour rencontrer son fournisseur, un type plus connu sous le sobriquet de Ice.

Le 14 septembre 1990, paumé pour paumé, toujours à court d'argent, armé du revolver que lui a prêté Ice, il attaque une station-service puis une bijouterie, blessant ainsi une personne par balle. Quelques heures plus tard, avant de rentrer chez lui, il remet l'arme à son propriétaire. Le 16 septembre, en début d'après-midi, Anthony rencontre de nouveau son « âme damnée » et lui emprunte cette fois-ci sa voiture pour aller voir une amie. Ice lui précise alors que le revolver est dans la boîte à gants...

Deux jours passent. Alors qu'il vient restituer la voiture, Anthony n'arrive pas à trouver son copain et décide de rentrer chez lui au volant du véhicule. Il prend l'arme avec lui pour la cacher à son domicile. Le soir même, un de ses fournisseurs en cheville avec la police vient pour s'approvisionner en drogue... Très vite, la maison est cernée par les forces de l'ordre ; Anthony se rend. Au cours de la perquisition, l'arme est trouvée. Interrogé par un shérif, Anthony avoue les deux vols du 14 septembre et les deux agressions mais nie farouchement avoir participé à un troisième braquage, dont il devient pourtant le principal suspect.

Extradé quelques semaines plus tard à Monticello, en Floride, Anthony passe en jugement pour la première affaire et écope de vingt ans de réclusion, puis on le transfère à Tallahassee où il se voit condamner comme récidiviste à deux peines confondues de réclusion à vie pour vol à main armée et tentative de meurtre.

Mais Anthony n'en a pas fini pour autant. Désormais, il représente un trop beau trophée pour les redresseurs de torts et les justiciers, les chasseurs de bêtes humaines. Pendant son séjour à Tallahassee, les enquêteurs de Jacksonville ne le lâchent pas. Il doit à présent répondre d'un troisième braquage. Lors de l'attaque d'une épicerie de quartier, le 16 septembre entre 13 h 45 et 14 heures, on a tiré sur Betty Woods, employée de magasin, morte quatre jours plus tard des suites de ses blessures. Néanmoins, malgré des interrogatoires musclés et un doigt de la main brisé, rien ne le fera revenir sur sa déposition initiale : il n'est pas l'auteur de ces actes.

Quatre mois plus tard, les autorités de Jacksonville inculpent pourtant Anthony de vol à main armée et de meurtre. Un premier juge déboute l'affaire, faute de preuves. Trois mois s'écoulent, une nouvelle inculpation et un juge différent conduisent Anthony, fin 1992, à un troisième procès. Le témoin principal qui avait déclaré être incapable de reconnaître le coupable tout en le décrivant comme un homme noir de trente-cinq ans avec une « barbe fournie » et des cheveux longs, en tous points semblable à Ice, identifie alors formellement Anthony, un jeune homme de vingt-quatre ans imberbe et le cheveu court. L'avocat de la défense ne conteste pas cette absurdité. Pour l'accusation, le procureur mentionne vingt-quatre jeux d'empreintes – sans préciser qu'elles n'appartiennent pas à Anthony.

Le 23 février 1993, la Floride, un des seuls États où l'unanimité des jurés n'est pas requise, condamne, à sept voix contre cinq, Anthony Mungin à la peine de mort.

L'avocat commis d'office fait place à un second défenseur, commis d'office lui aussi. Un premier appel est rejeté par la Cour suprême de Floride, un deuxième appel plus conséquent – pour un examen plus minutieux des preuves – est présenté... Le 23 septembre 1998, le juge désigne Mark Olive, un troisième avocat privé, mais ce dernier, lié à l'État de Floride par un contrat extrêmement restrictif pour la défense de son client, demande à une prestigieuse firme d'introduire une plainte au nom de Mungin et de lui-même. Après révocation de l'avocat zélé, le juge impose un quatrième défenseur et un détective assermenté. Quelques longs mois de silence plus tard, Anthony est averti que l'enquêteur refuse de poursuivre une collaboration avec un magistrat « ni compétent ni motivé ».

Le 9 février 2000, Anthony Mungin apprend donc la désignation d'un cinquième avocat qui le laisse cinq mois sans nouvelles. Comme il en a témoigné lors du reportage diffusé pendant une émission d'*Envoyé spécial*, il décide de prendre son dossier, de potasser le droit et de revoir chaque procès-verbal de l'instruction. Il se met en relation avec un avocat privé qualifié prêt à le défendre pour 25 000 dollars. Il n'y a plus qu'à trouver le financement.

L'écriture ancrée dans le cœur, il anime de ses textes les sites Internet de ses comités de défense, il entretient une importante correspondance et compose des poèmes. Malgré ses anciens délits, il répète qu'il a foi en la justice de son pays. Élevé dans la croyance que la justice est synonyme d'équité, chaque fois qu'il a été arrêté pour effraction, il a admis sa culpabilité et sa sanction. « Autrefois, atteste-t-il, j'étais une autre personne... J'ai fait des choses que je ne referai pas. Je commets encore des erreurs car je ne suis pas parfait mais je suis fier de l'homme que je suis devenu. »

Dans une autre lettre, il se confie : « J'essaie de ne penser qu'à des choses positives. Je suis las de me battre parfois, il est dur de se sortir de la dépression des jours de frustration et de solitude, mais j'y arrive cependant. J'ai assez d'humour. J'aime blaguer et rire. Rire fait du bien. [...] Les amis qui se soucient de moi et viennent me voir sont une vraie bénédiction... Ils sont devenus ma propre famille. Je les aime comme si nous étions du même sang. Pour moi, ils sont un peu du ciel sur la terre. Je vois le monde à travers leurs yeux, grâce à eux je suis libre. »

Heureux d'apprendre l'officialisation du comité de soutien « Justice pour Anthony Mungin », il exprime sa joie de voir renaître l'espoir. Dans ses lettres encore, il dit ne pas craindre la médiatisation de son cas car il est innocent. « Je n'aurais jamais témoigné auprès du journaliste français (*Envoyé spécial* sur France 2, le 2 février 2000) si je n'avais pas eu toutes les preuves. Je n'ai plus rien à perdre. Je peux démontrer tout ce que j'avance. J'ai la preuve que le témoin a changé sa déclaration deux ans après les faits, que mon cas n'a jamais donné matière à enquête sérieuse, que l'on m'a enfoncé en m'attribuant des avocats incompétents, incapables de faire leur boulot, que j'ai déposé des demandes pour les dessaisir de mon cas et écrit à la Cour suprême de Floride, au gouverneur Jeb Bush pour clamer mon innocence. »

Lisant *Le Petit Prince* et *Les Fleurs du mal*, il sublime son emprisonnement par les mots. Sur l'un des sites Internet d'Anthony Mungin, on peut lire « ce que voient les yeux d'un enfant » sans personne pour le protéger mais qui « utilise l'adversité pour s'inventer une identité ». Il y a aussi le récit intitulé « Ma plus grande tâche », le jour où tout gosse il a entrepris de tondre la pelouse de sa grand-mère qui doutait de ses capacités, toujours soucieuse pour ce « vrai gringalet prisonnier du labyrinthe de ses pensées ».

> *Grand-mère avait les bras croisés*
> *Altière comme une reine africaine*
> *Je n'oublierai jamais cette joie en mon cœur*

Ni ce sourire sur son visage
La matinée s'écoula et je terminai ma tâche
Sans réaliser la joie qu'elle m'apporterait...

© Anthony Mungin

Le gamin a grandi. Il arpente l'asphalte et affronte la jungle urbaine. Avec l'intention affirmée de révéler combien cette vie-là détruit, il écrit *Poetic disciple*, évoquant ses copains de galère dont le cœur bat au rythme de la colère.

APÔTRE DE LA POÉSIE
J'ai fait partie des débrouillards, des baraqués
Des escrocs, des guérilleros
Enfant d'un ghetto de légende.
[...]
Mais la violence n'est pas un titre de gloire
Elle tape trop fort comme une drogue
Elle appelle à se battre pour survivre.

© Anthony Mungin

Gratitude, ode religieuse dédiée au Créateur, et *Peuple de mes rêves*, deux poèmes écrits dans « l'ombre de la mort » de cette prison d'État, révèlent de profondes et grandes aspirations, l'authentique désir d'une autre humanité, capable de guider et de soutenir la jeunesse, d'accepter la vérité, de tendre la main, et qui sait ce qu'aimer veut dire.

Au nom de cette même foi en son prochain, sur un autre site, il plaide sa cause : « Vous avez appris à ne pas juger un livre sur sa couverture. [...] Je vous demande de consulter mon dossier, de lire les faits et preuves. Je n'ai rien à cacher. [...] Je veux que le monde entier sache ce que j'ai subi et ce que j'endure encore. Je veux que vous compreniez les fautes du système et comment des gens comme moi sont privés d'une aide efficace. Ils préfèrent me voir mort que d'admettre leur erreur. J'ai besoin de votre soutien et de votre aide pour mettre en lumière la vérité. »

Tous les textes d'Anthony Mungin ont été publiés avec l'aimable autorisation de l'auteur et de « Justice pour Anthony Mungin ».

Comité de soutien

Justice pour Anthony Mungin
c/o Danielle Guédon
9, place de La Pérouse
85000 La Roche-sur-Yon
Tél : 02 51 62 03 40
E-mail : guedz@club-internet.fr

Anika Weiss (une amie d'Anthony)
440 East 75th Street #18
New York, NY 10021
USA

Pour une donation

Fonds Death Row
c/o Pat Goldblat
Case Postale 226
1211 Genève 4
Suisse
E-mail : goldblat@webshuttle.ch
Numéro de compte pour Anthony : CCP 17-153239-6

Sites Internet

anthony.mungin.free.fr
www.tri-foldministries.org

MUMIA ABU-JAMAL

Militant des Black Panthers (Panthères noires) dès l'âge de quinze ans, puis journaliste engagé, en 1982, à vingt-huit ans, il est condamné à mort pour le meurtre d'un policier, bien qu'il reste à prouver la véracité du chef d'accusation. Au cours de son procès, les observateurs relèvent vingt-six violations des droits constitutionnels de l'accusé.

Presque vingt ans après, proposé pour le prix Nobel de la paix, surnommé « la voix des sans-voix », il a écrit deux livres et, soutenu par de nombreux comités internationaux, il ne désespère pas de gagner son combat pour la liberté.

L'histoire de Wesley Cook, alias Mumia Abu-Jamal, est relativement simple. Dans le contexte de ce livre, le lecteur la jugera même banale. Elmer Geronimo Pratt (voir p. 126), condamné en 1972 sur de mauvaises informations du FBI pour un meurtre commis en 1968 alors qu'il était un des leaders des Black Panthers de Los Angeles, ne nous contredira pas. Pas plus que Leonard

Peltier (voir p. 81) ou Luis Valenzuela Rodriguez (voir p. 95), tous deux militants pour l'identité amérindienne.

Originaire de Philadelphie, Mumia acquiert dès son plus jeune âge une conscience politique. De 1969 à 1972, encore adolescent, il milite activement au sein des Black Panthers, un mouvement qui, dès les années 1960, permet aux Afro-Américains de revendiquer le Black Power et de positionner leur communauté dans la société américaine. Peu de temps après, il adopte la philosophie de Move (Movement, l'organisation rebelle de Vincent Leophart, à la politique radicale) et prend alors le nom de Mumia Abu-Jamal. En 1980, les auditeurs des ses reportages radiophoniques, qui traitent souvent des pauvres et des minorités raciales, le surnomment « la voix des sans-voix ». Parallèlement, il est marié, père de famille et chauffeur de taxi, la nuit.

Survient la sinistre affaire qui va ruiner son existence. Dans les rues de Philadelphie, la nuit du 9 décembre 1981, alors qu'il est au volant de son taxi, Mumia surprend un policier en train de passer un homme à tabac. Immédiatement il arrête son véhicule et s'interpose. Il s'aperçoit vite que l'individu en difficulté n'est autre que son frère, William. La bagarre reprend de plus belle. Aux coups de poing succèdent des coups de feu. Daniel Faulkner, le policier, s'écroule, mort. Gravement blessé à l'estomac, Mumia est conduit à l'hôpital. Lorsqu'il se réveille après l'extraction de la balle, il découvre qu'il est inculpé pour assassinat.

Le procès a lieu pendant l'été 1982. Le juge Sabo, qui dirige les débats à la cour, possède le triste record des condamnations à la peine capitale, loin devant les autres juges du pays. Inutile donc de préciser son iniquité.

L'avocat de la défense, commis d'office, ne reçoit que 150 dollars pour tenter de mener une contre-enquête cohérente ! Les jurés sont sélectionnés selon des critères extrêmement limités, les individus de couleur noire (à l'exception d'un seul) sont écartés. À l'inverse, la défense se voit refuser le droit de récuser un juré aux positions trop catégoriques sur l'évidence de la culpabilité de l'accusé.

Lors des audiences, la même mauvaise foi s'affiche. Les témoins de la défense – comme par un fait établi – sont tous excusés. Ainsi de William Singletary, un vétéran du Vietnam qui a assisté à la scène et qui certifie que Mumia n'est pas le tueur. Il confiera plus tard à la nouvelle équipe de la défense qu'il a subi des pressions et qu'il a été contraint de quitter la ville. D'autres témoins encore sont prêts à jurer qu'ils ont vu un autre homme tirer sur le policier avant de s'enfuir. Enfin le policier Gary Wakshul, chargé de la garde de Mumia à l'hôpital, assure que son prisonnier n'a jamais avoué le meurtre... mais lors du procès on le déclare « injoignable ». Ne reste qu'une profusion de témoins de l'accusation, si nombreux qu'ils s'en contredisent.

Cependant le complot prend corps, un semblant de preuves fabriquées reconstitue les événements au bon gré de la justice. Un policier déclare ainsi que Mumia a avoué dans l'ambulance. Par ailleurs, l'accusation prétend que l'expertise balistique dénonce l'accusé, mais n'évoque pas le rapport du médecin légiste démontrant que la mort de la victime a été causée par une balle de calibre 44 alors que la licence du port d'arme du chauffeur de taxi Jamal indique un calibre 38. Même manipulation et subornation de témoin en ce qui concerne Veronica Jones, dont la déclaration fut accablante tout simplement parce qu'on l'avait menacée de lui retirer la garde de son enfant.

Enfin, oubliant qu'on ne peut pas être à la fois « juge et partie », la cour rappelle sans discontinuer le passé de Mumia chez les Black Panthers, comme pour laisser entendre qu'il y a un lien de cause à effet entre l'engagement du militant et l'assassinat commis. Mais ni les tribunaux de Pennsylvanie ni la Cour suprême des États-Unis ne relèveront cette irrégularité qui, constatée dans d'autres procès, a parfois provoqué l'annulation de la condamnation. Dans ces conditions, le dénouement est inévitable, la peine de mort incontournable.

Lorsque Leonard Weinglass remplace en 1992 le premier défenseur et décide de rassembler une équipe de détectives, il rencontre dans un premier temps les enquêteurs dépendant du ministère public qui tremblent de collaborer avec lui par crainte de se voir refuser le renouvellement de leur licence. Le 29 octobre 1998, maître Weinglass dépose cependant devant la Cour suprême de Pennsylvanie un appel qui récapitule les vingt-six violations des droits constitutionnels dans le procès de Jamal. Celle-ci s'empresse de le débouter.

Un an après, le 13 octobre 1999, le gouverneur de Pennsylvanie signe l'ordre d'exécution, annulé bientôt par un juge fédéral afin de laisser le temps à la Cour suprême de traiter l'appel en habeas corpus de l'accusé.

Dès lors, à travers les États-Unis et le monde entier, des personnes de bonne volonté se mobilisent... Par ses écrits, ses articles, ses enregistrements, Mumia Abu-Jamal ne reste pas inactif. Les New-Yorkais peuvent l'entendre à la radio, sur WBAI, chaque jeudi soir et le lire dans le *New York Times*. Malgré des représailles, la menace du quartier de haute sécurité et de longs mois d'isolement, il écrit deux livres : *En direct du couloir de la mort* en 1996 et *Condamné au silence* en 2001.

Mumia évoque la publication de son premier livre en novembre 1995, alors qu'il est interviewé par Julia Wright pour la revue *Politis* : « Je ne suis pas riche, je ne l'ai jamais été. Ma seule richesse est l'amour de la famille que je possède et maintenant celui de gens du monde entier. Et je n'ai pas d'autre monnaie. Je ne pouvais pas me payer les meilleurs avocats américains et j'essayais de montrer au tribunal qu'accepter le contrat pour la publication de *En direct du couloir de la mort* rendait beaucoup de choses possibles, l'une d'elles étant de pouvoir engager et payer un aussi bon avocat que Leonard Weinglass, entouré de toute une équipe de défenseurs, dans le combat pour me sauver la vie. »

Âgé à présent de quarante-sept ans, le prisonnier Jamal, coiffé de ses dreadlocks, garde le sourire d'un enfant frondeur. Ce qu'il a en lui est indestructible. Car il n'a pas seulement la volonté, la hargne, la rage de survivre, de se faire entendre et de gagner le droit d'un nouveau procès, il possède aussi, il a fait sien l'héritage de son peuple. Dans ses yeux brillent en alternance les rythmes musicaux d'un Paroah Sanders, le prophète saxophoniste du free jazz, et le souvenir des luttes passées de John Africa, d'Angela Davis ou de Martin Luther King. Il est fort. À la fois de sa singularité et de sa multitude.

Avec l'œil implacable du journaliste engagé, il parle, il écrit, il raconte ce qu'il voit, ce qu'il entend. Il rapporte ce que les autorités veulent faire taire. Froide et méthodique, sa description des exécutions par électrocution dénonce l'horreur. On peut également citer son article *Jours de cauchemars au bloc B*, publié dans *The Nation* en avril 1990 : « Une bousculade, une insulte, une rafale de coups de poing : un détenu est frappé et expédié à l'unité disciplinaire où un passage à tabac commence. [...] Tous ces bruits s'impriment sur la pellicule de mon cinéma intérieur et évoquent les souvenirs lointains de quelques grands exploits du département de police de Philadelphie... contre ma personne. [...] Je bous de colère face à cette interruption abrupte d'un des derniers plaisirs de la vie dans le bloc B : le répit trop bref qu'offrent les rêves. »

Précurseur de la génération rap, il transmet à son tour ce qu'il a reçu de ses aînés ; il répète ce que disait Frederick Douglass, un Afro-Américain : « Sans lutte, il n'y a pas de progrès. » Ou l'un de ses modèles feu John Africa : « Si vous faites ce qui est juste, le pouvoir de la justice ne vous trahira pas. »

Dans des propos recueillis et retranscrits par Julia Wright, il confie à Raymond Forni, le président de l'Assemblée nationale française, venu le voir en prison le 28 août 2000 : « Un enfer ne doit pas forcément demeurer un enfer. Une cellule peut être un lieu de répression mais aussi un lieu d'enrichissement de l'esprit. C'est ce dernier que j'ai choisi. Voilà comme je résiste au suicide psychologique qui nous guette tous ici. »

Dans un univers de répression et de terreur, le résistant se retrouve soudain homme et père, sans défense devant l'émotion mais toujours émerveillé, sans amertume, ouvert aux miracles de l'innocence. « Au milieu de l'obscurité, écrit-il dans *En direct du couloir de la mort*, cette petite était un rayon de lumière. [...] Comme mes autres enfants, elle n'était qu'un bébé lorsque j'ai été jeté dans cet enfer. À cause de sa jeunesse et de sa sensibilité, jusqu'à maintenant, on ne l'avait pas amenée lors des visites familiales. Elle a fait irruption dans la salle exiguë, ses yeux marrons brillants de bonheur.[...] Ce souvenir me hante. »

Et l'emprisonnement de Mumia Abu-Jamal devrait hanter tout individu qui prétend appartenir à l'espèce humaine et respecter les principes de la démocratie et de la liberté que confèrent les droits de l'homme.

Adresse du prisonnier

Mumia Abu-Jamal
AM 8335
SCI Greene
175 Progress Dr.
Waynesburg, PA 15370
USA

Comité de soutien

COSIMAP
21 *ter*, rue Voltaire
75011 Paris

Pour une donation

The Mobilization to Free Mumia Abu-Jamal
3425 Cesar Chavez
San Francisco, CA 94110
USA

Site Internet

www.freemumia.org

À lire

– *En direct du couloir de la mort*, Mumia Abu-Jamal, La Découverte, 1996.
– *Condamné au silence*, Mumia Abu-Jamal, La Découverte, 2001.

PHILIP WORKMAN

Condamné à mort en 1982 pour un meurtre dont il était présumé coupable, Philip Workman est la victime type d'un système judiciaire qui préfère au nom de sa « vérité » n'importe quelle solution plutôt que de reconnaître une bavure policière. Dans le couloir de la mort, depuis bientôt vingt ans, Philip Workman, même s'il n'est pas le meurtrier, est celui qui par « sa faute a entraîné la mort d'un homme ».

Le 5 août 1981, tard dans la nuit, Philip Workman sort en courant de chez Wendy, un restaurant de cuisine rapide de Memphis. Pour se payer sa dose de cocaïne quotidienne, il vient de commettre un vol à main armée. Il a encore le flingue à la main, un semi-automatique de calibre 45, quand une fusillade éclate. Un lieutenant de police, Ronald Oliver, est retrouvé étendu sur l'asphalte du parking. Mort.

Stoddard et Parker, ses collègues, appréhendent le suspect légèrement blessé et en état de choc. Conduit au poste de police, celui-ci avoue avoir tiré sur Oliver. Un témoin, Harold Davis, le certifie. L'affaire semble simple.

À son procès, le 30 mars 1982, Workman est condamné à mort.

Au cours des années suivantes, Workman revient sur ses aveux, arrachés sous la contrainte. Davis se rétracte. Pour les mêmes raisons.

En 1995, Workman passe en appel. Pendant l'audience, des faits jusque-là ignorés sont révélés. Selon les analyses balistiques et l'autopsie, l'impact de la balle sur le corps de la victime ne correspondrait pas au calibre de Workman, mais il ressemblerait plutôt à celui de l'arme des représentants de l'ordre... À moins que pour corroborer la première thèse énoncée on « suppose » qu'une partie de la balle – de Workman – ne soit restée dans le corps ! C'est cette éventualité que le jury retient. On évite ainsi de reconnaître la bavure policière. Et tant pis pour Workman ! Cela fait treize ans qu'il est enfermé dans le couloir de la mort. Il doit avoir pris ses habitudes depuis le temps !

À l'extérieur, les choses bougent. Vivian Porter, une amie d'Harold Davis, le témoin clé, confie à un journaliste de News Channel 5 que son copain n'était pas sur les lieux du crime à l'heure du drame. Ce dernier confirme. Interpellé la nuit du 5 août 1981 alors qu'il venait de s'acheter de la drogue, il s'est contenté de répéter les propos que la police lui a dictés afin de ne pas avoir d'ennuis. Il ne se doutait pas qu'ainsi il condamnait Philip Workman. Mais les autorités passent outre ce rebondissement de l'affaire. Elles ont un coupable auquel elles tiennent, on le voit de plus en plus. Elles ne veulent pas y renoncer.

En mars 2000, un médecin légiste retrouve une radiographie dans un dossier. Cette dernière démontre que la balle est sortie entière. L'ultime indice qui innocente l'accusé est remis à la défense. Le procureur évoque alors cet oubli fait « par inadvertance ». Nouveau sursis. Nouvelle audience.

Le 5 septembre 2000, Philip Workman perd en appel devant la cour régionale. Les arguments et les preuves avancés ne sont pas assez explicites pour constituer un « doute raisonnable ». Au nom du cas de *felony murder*, coupable de la faute qui a entraîné la mort du policier et non du meurtre lui-même, Workman est déclaré passible de la peine capitale par le procureur général. Honte à celui par qui le malheur arrive !

Malgré la prise de position publique de la fille de la victime et de celle du détenu qui souhaitent sa grâce, l'État du Tennessee se prépare à faire exécuter la sentence. Mais comme s'il ne suffisait pas de jouer avec la vie d'un homme, on met aussi à rude épreuve sa résistance nerveuse. Workman a en effet été condamné à mort en 1984 alors que le Tennessee utilisait encore la chaise électrique. Il faudrait donc que le condamné fasse à présent une demande pour s'éviter des souffrances inutiles et obtenir une injection létale. Philip Workman s'y refuse – pour des raisons religieuses.

Soudain pleines de commisération quant à la méthode employée pour le faire passer de vie à trépas, les autorités de l'État envisagent de changer leur loi afin de faire bénéficier le condamné d'un effet rétroactif. Et le condamné attend. Seul, infiniment seul, il n'a rien pour se repérer. Même pas une date. Rien si ce n'est le constat de l'absurdité administrative au service de l'ineptie humaine.

Face au mur de la cellule dans laquelle il vit comprimé, face au mur de l'injustice à laquelle il est confronté depuis dix-huit ans sans que jamais ne fût évoquée la présomption d'innocence, il ne peut affirmer qu'une chose : « Les gens sont frustrés parce qu'il y a des crimes et parce que personne n'a été exécuté depuis quarante ans au Tennessee. Il leur semble plus important de clore l'affaire que d'examiner ce qui s'est vraiment passé. »

À l'heure où ce livre se termine, alors qu'une date d'exécution avait été fixée au 30 mars 2001, nous apprenons qu'une heure avant le moment fatidique la Cour suprême du Tennessee a accordé à Philip Workman un sursis « miraculeux ». Seul le Ciel sait jusqu'à quand...

Adresse du prisonnier

Philip R. Workman #95920
Riverband Maximum Security Institution
u-2-A-205
7475 Cockrill Bend Blvd
Nashville, TN 37209-1048
USA

Sites Internet

http ://www.geocities.com/saveworkman
http ://amnesty109.multimania.com

JOHN PAUL PENRY

En 1980, John Paul Penry, un arriéré mental de vingt-quatre ans, est condamné à mort pour le viol et le meurtre d'une jeune femme. Neuf ans plus tard, la Cour suprême casse le jugement, invoquant le non-respect des droits de l'accusé. En 1990, au cours d'un nouveau procès qui utilise les mêmes procédés et les mêmes acteurs, Penry est de nouveau condamné à la peine capitale. À travers le parcours de Johnny Penry, l'Amérique puritaine du XXIe siècle tombe le masque. En vertu des grands principes se déchaînent des opinions et des passions dont la férocité n'a d'égale que la barbarie.

Lorsque, la nuit du 25 octobre 1979, à Livingstone dans le Texas, Johnny Penry est arrêté pour le viol et le meurtre de Pamela Carpenter, une jeune femme à peine plus jeune que lui – il a vingt-trois ans –, il ne comprend pas ce qu'il a fait. « Je lui ai dit que je l'aimais et que je détesterais la tuer », avoue-t-il à la police.

Vingt et un ans plus tard, à quelques jours d'une des dates programmées pour son exécution, il accorde une interview au *New York Times* et manifeste la même incompréhension. Il confie qu'il croit au Père Noël. Pour lui, la peine capitale, l'injection létale, la vie, la mort ne représentent rien. « Ils vont me mettre une aiguille dans le bras, commente-t-il comme s'il répétait une leçon, ils vont me faire dormir... Je pense que c'est cruel de me faire cela. »

Toujours déficient mental à quarante-quatre ans, Johnny Penry ne sait ni lire ni écrire. Dans le couloir de la mort depuis vingt ans, il passe ses journées à regarder les bandes dessinées et à faire des dessins fort joliment colorés mais qui trahissent un niveau intellectuel d'un enfant de six ans. Quand on regarde sa vie, c'est d'ailleurs à cet âge qu'il a cessé d'évoluer. À l'instar de Roger Collins, de Paula Cooper, de Bettie Lou Beets ou de Robert Carter, dont nous traiterons les cas dans ce livre, John Paul Penry a eu une enfance difficile et plus que misérable.

Élevé par une mère placée dans un hôpital psychiatrique de l'Oklahoma juste un an après sa naissance, Johnny et ses trois frères et sœur subissent ses mauvais traitements à chacune de ses sorties... Comme la plupart des enfants battus, Johnny est fouetté avec des fils électriques, mais sa mère ne s'arrête pas là. Le laissant plusieurs jours sans boire ni manger, elle a coutume de lui faire avaler de force ses urines et ses excréments. À douze ans, le gamin est confié à la Mexia State School, une institution pour arriérés mentaux, l'équipe de soignants remarque alors de nombreuses lésions sur sa tête. Incapable de s'exprimer correctement, de distinguer surtout l'imaginaire du réel, Johnny se fait comprendre grâce à ses dessins.

À son procès, l'accusation maintient sans pitié qu'il simule, qu'il joue au psychopathe en prétendant être débile pour manipuler la cour. L'un des procureurs insiste en se référant à son enfance : « Il était incontrôlable. » Son handicap mental et affectif, dû au manque d'amour et aux mauvais traitements dans l'enfance, ne le sauve pas de la peine capitale, décrétée en mars 1980.

En 1989, la Cour suprême des États-Unis casse la sentence. Mais, précisons-le, ce n'est pas pour prendre en compte ses souffrances d'enfant martyr. C'est seulement pour statuer de nouveau sur sa déficience intellectuelle et émotionnelle...

En dépit des objections émises par la Cour suprême, l'État du Texas persiste alors à transmettre à la cour régionale et au jury les mêmes instructions que celles émises lors du premier jugement.

Qu'importe que le jeune homme subisse des examens et des contre-examens médicaux sans être informé de ses droits, alors que tout élément livré au corps médical pouvait être retenu contre lui. Qu'importe que l'on ait enfin produit des certificats médicaux prouvant que Johnny Penry avait été enfermé, enfant, dans les toilettes toute une année durant, qu'il ait un bras plus court que l'autre et qu'il souffre « de la tête », à cause de graves lésions cervicales provoquées par les sévices maternels...

Les médecins, les mêmes que lors de la précédente procédure, signent à nouveau les mêmes conclusions. Le pire d'entre eux, le docteur Walter Quijano, qui a déjà produit des témoignages imprégnés de racisme à propos de six autres inculpés, induisant pour eux un châtiment sans appel, se montre face à Penry soucieux d'eugénisme. À nation forte, à nation supérieure, hommes forts et supérieurs. Le second procès renvoie donc Penry dans le couloir de la mort.

Les nombreuses associations défendant les droits de l'homme mènent alors une campagne d'information. Depuis 1976, trente-cinq délinquants arriérés mentaux (dont six au Texas) ont été exécutés aux États-Unis. Trente États et le gouvernement fédéral l'interdisent ; sept autres prennent la question en considération. Ailleurs et en attendant, on exécute. D'autre part, on le sait, Bush Junior, alors gouverneur du Texas, s'est déclaré fermement opposé à la réforme législative concernant l'abolition de la peine capitale dans son fief. Or, maintenant qu'il est à la tête du pays, tous les regards se portent vers lui, avec inquiétude.

Le 16 novembre 2000, juste trois heures avant l'exécution de J.P. Penry, la Cour suprême des États-Unis, alertée par la mobilisation internationale, lui accorde un sursis et demande un complément d'information.

Après vingt ans passés à Huntsville et quelques mois à Terrell, dans l'attente d'un nouveau procès qui devrait avoir lieu au cours de l'année 2001, John Penry continue de lire des bandes dessinées et de faire des dessins joliment colorés.

Adresse du prisonnier

Johnny Paul Penry #000654
Terrell Unit 12AE-62
12002 FM 350 South
Livingston, TX 77351-9639
USA

Comité de soutien

E-mail : Bonnie2@txucom.net

Sites Internet

http ://www.geocities.com/savepenry/johnny.html
www.hrw.org/campaigns/deathpenalty/drg.htm
http ://www.adelante/penry/case.html

JOHN CURTIS DEWBERRY

Mineur âgé de dix-sept ans au moment des faits, en 1995, John Curtis Dewberry est inculpé, jugé, condamné à la peine capitale et relégué dans le couloir de la mort pour un meurtre qu'il n'a pas commis.

Une enfance dans un milieu de Blancs défavorisés. Une adolescence chez ses grands-parents, un aïeul alcoolique. Un mariage précoce. Et la dégringolade... Un accident de voiture en octobre 1994 le propulse à l'âge de seize ans dans l'univers des *painkillers* (anxiolytiques) et autres camisoles chimiques.

Un matin de janvier 1995, alors que, depuis son réveil, il a passé son temps à fumer des joints avec sa femme et à boire du vin avec le grand-père, deux détectives de la police de Beaumont, Texas, le convoquent − manu militari − pour une audition. Il n'est pas vraiment en état de répondre.

Inculpé pour le meurtre d'Elmer Rode, qui était compromis dans un trafic de cassettes vidéo pour la communauté homosexuelle de la région, John Curtis Dewberry voit ses alibis disparaître et les témoins jouer à cache-cache au cours de l'instruction. Son procès n'est qu'une mascarade. À peine prend-on le soin de décrire les faits.

Lors de la procédure d'appel, la même comédie recommence. Pour s'occuper de lui, un avocat qui n'a jamais traité d'affaire similaire est commis d'office. D'autres défenseurs, consultés ultérieurement pour superviser un appel en habeas corpus, n'ouvrent aucune enquête et les lettres que Dewberry leur adresse restent sans réponse.

Le 21 août 1999, il n'a toujours pas entendu parler de la suite donnée à ses requêtes. « On dirait, écrit-il, que mes demandes sont tombées dans l'oreille de sourds. Je ne sais plus que faire et comment le faire dans le couloir de la mort. » Sur le site Internet où il prend la parole, il poursuit : « Il n'y a pas de doute, je n'avais rien d'un adolescent angélique... mais aidez-moi à sortir de la chambre à tuer texane, aidez-moi à ne pas recevoir dans mes veines ce poison, sauvez-moi du carnage auquel on me destine pour un crime que je n'ai pas commis. Agissez, je vous en supplie avant qu'il ne soit trop tard. Mon dernier espoir, c'est vous. »

Adresse du prisonnier

John C. Dewberry, #999211
Terrell Unit
12002 F.M. 350 South
Livingston, TX 77351
USA
E-mail : jcdewberry@aol.com

Pour une donation

Tania Gee for the Benefit of The John Dewberry Justice Fund
C/o Bank One
995 Washington Blvd
Beaumont, TX 77705
USA
Numéro de compte : 1562328482
Numéro pour un virement bancaire : 111000614

MELVIN HODGES

Inculpé pour le meurtre de la patronne d'un restaurant commis le 4 janvier 1998 lors d'un vol à main armée, Melvin Hodges est condamné à mort après que son coaccusé a accepté de témoigner contre lui en échange d'une peine moins lourde. À l'issue du procès, le juge passe outre la recommandation du jury et impose la peine capitale. Pour information, l'Alabama fait partie des quatre États où une telle procédure est permise. Trois des six hommes qui résident actuellement dans le couloir de la mort d'Alabama ont été condamnés de cette façon.

Dans le couloir de la mort depuis un an deux semaines et trois jours, Melvin perçoit les sons qu'un homme peut entendre quand il est seul la nuit sans le brouhaha de la prison, des voix fortes, des tuyauteries ou de la télévision. Seul dans sa cellule, alors que les autres dorment, il veille toute la nuit, prenant conscience « des bruits du couloir ».

Une nuit, la nuit inoubliable du 5 août 1999, Melvin apprend qu'une exécution est programmée pour le soir même, une minute après minuit. « Le couloir, écrit-il, était silencieux comme d'habitude à cette heure. [...] Puis, je fus secoué par un énorme fracas, tous les détenus se sont mis à frapper de grands coups ensemble... » Il a alors l'impression de voir un film indien ou africain où se déroule une scène de sacrifice avec un battement de tambour pour accompagner la cérémonie. En prison, le martèlement est destiné à conjurer l'horreur. Lorsque tout s'arrête, cela signifie que c'est fini.

Après avoir encore entendu la même chose quatre fois de suite, Melvin est aux aguets. Il se concentre sur les bruits. Il continue d'entendre. La nuit, les plaintes, les confessions, les cantiques, les hurlements parfois. Les oiseaux au petit matin. Et le vent aussi qui chante la vie.

« Puis, précise-t-il, il y a un autre son que j'entends, depuis mon arrivée dans le couloir, c'est celui de l'appel de détresse, l'appel à l'aide de chaque prisonnier. »

Adresse du prisonnier

Melvin Hodges
Z-659/ Death Row
Holman 3700
Atmore, Alabama 36503
USA

Site Internet

http ://amnesty109/multimania.com
Consulter : Message du Couloir n° 6 (16 janvier 2001), « Bruits dans le couloir de la mort »

LEONARD PELTIER

Incarcéré depuis 1975, condamné à la prison à perpétuité pour le meurtre dont il n'est pas coupable de deux
agents fédéraux, Leonard Peltier, militant amérindien, est
le plus ancien détenu politique des États-Unis.

Fils du vent, des grands espaces, Leonard Peltier
grandit dans le respect de sa culture, de la nature et de
l'espèce humaine. Comme tous les Amérindiens, les peuples aborigènes, il développe la faculté d'avoir le regard
de l'aigle pour mieux survoler les événements avec philosophie et grandeur.

Pour rapporter les éléments de la machination dont a
été victime Leonard Peltier, il faut remonter à la source,
à sa naissance et aux conditions de survie auxquelles est
astreint le peuple amérindien, peuple autochtone, des-
cendant des enfants d'Amérique. Le racisme envers les
Indiens, aurait-on envie d'expliquer de façon un peu simpliste, est dû au fait que les colons du Nouveau Monde
leur ont pris la grande majorité de leurs terres et qu'ils
ne supportent pas de voir, vivant, le reproche de leur
rapacité...

Né en 1944 dans le Dakota du Nord, à la lisière du Canada, Leonard Peltier est à peine âgé de quatorze ans lorsqu'il endure les brimades d'une société raciste. « Mon premier crime, confie-t-il dans son livre *Écrits de prison*, avait été de parler ma langue, le deuxième consistait à pratiquer ma religion. Quand j'ai été arrêté de nouveau, l'hiver suivant, pour avoir siphonné du gazole dans un camion de l'armée afin de chauffer la maison glaciale de ma grand-mère, j'ai passé deux semaines en prison. »

Très jeune donc, confronté à la discrimination raciale et à la répression de la population « indigène », il se mobilise en occupant en 1970 un fort militaire près de Seattle et en revendiquant la restitution des terres abandonnées par les services fédéraux.

De 1972 à 1975, devenu militant de l'AIM (American Indian Movement), Leonard Peltier participe à la marche appelée « La Piste des traités volés » et à diverses campagnes de protestation non violentes pour attirer l'attention du public sur la réalité indienne. Emprisonné ou relâché, clandestin ou fugitif, Leonard continue de manifester et d'agir contre le règne de la terreur perpétrée, curieusement, à l'instigation du chef du conseil tribal, par une milice privée paramilitaire, les Goons (Guardians of the Oglala Nation), armée dans le plus grand secret par le gouvernement américain et opérant sur Pine Ridge, la réserve indienne d'Oglala-Lakota dans le Dakota du Sud.

Début 1975, le terrorisme s'accentue. Soixante-quatre membres de l'AIM sont assassinés en toute impunité. Parallèlement, le FBI procède à cinq cent soixante-deux arrestations en lien direct avec une action militante, l'occupation de Wounded Knee, qui a eu lieu deux ans plus tôt.

Le 25 juin 1975, dans une atmosphère survoltée par les conflits grandissants, deux agents du FBI, Jack Coler et Ronald Williams, font intrusion dans la propriété des Jumping Bull, une famille particulièrement menacée par les Goons et à ce titre protégée par leurs amis de l'AIM, dont Leonard Peltier. Sans mandat, à bord d'une voiture banalisée, Coler et Williams pourchassent un jeune Indien accusé de vol. La tension monte. Des coups de feu éclatent. On compte trois morts, un Indien et les deux intrus. Arrive alors du renfort, soit des dizaines d'agents du FBI et des Goons postés non loin de là, comme par hasard ! La population et les militants indigènes parviennent à s'enfuir. Une chasse à l'homme est lancée. On apprendra plus tard que la veille de la fusillade le chef du conseil tribal avait signé un accord secret avec le gouvernement fédéral pour lui céder un huitième de la réserve de Pine Ridge – une terre riche en uranium.

Le 16 juillet 1976, Dino Butler et Bob Robideau, deux militants amérindiens arrêtés par les agents du FBI et jugés sur les chefs d'accusation de meurtre au premier degré et de complicité de meurtre, sont acquittés sur la base de leur droit à la légitime défense. Leonard Peltier, le dernier coaccusé, est à ce moment-là au Canada, où il a trouvé refuge. Extradé de sa terre d'asile sur la présentation de dépositions frauduleuses, inculpé et jugé à son tour sur les mêmes chefs d'accusation, il est condamné le 2 juin 1977 à deux peines consécutives de prison à perpétuité au terme d'un procès orchestré de main de maître. À savoir, subornation de témoins, parjures et expertise balistique falsifiée.

Par la suite, le gouvernement admet ne pas connaître le véritable meurtrier et transforme le chef d'accusation en « complicité de meurtre », sans toutefois exiger une révision de procès. Il faut dire que depuis 1978, en dépit de la production de documents qui prouvent la machination du FBI, les trois appels et l'assignation en habeas corpus ont tous été rejetés.

En prison, le traitement spécialement punitif que lui infligent les autorités pénitentiaires ne cesse d'aggraver un état de santé précaire, voire catastrophique, qui a failli lui coûter la vie en 1995.

Cependant, chez cet homme dont la vie matérielle est aussi tragique, quelque chose reste intouchable, c'est son esprit, son âme. Et Leonard Peltier, avec la force qu'il a reçue de ses ancêtres, pense et s'exprime comme un grand initié. Il faut lire *Écrits de prison, le combat d'un Indien*. Livre d'histoire contemporaine, chronique politique, œuvre poétique, ce témoignage se révèle tout à la fois militant et mystique, empreint de lutte et de résistance, de sagesse et de sérénité, de dignité et d'amour. Il reflète le regard d'un homme privé de liberté qui continue de veiller sur les siens et de les nourrir.

« Si mon emprisonnement ne faisait qu'informer un public ignorant des terribles conditions que les Indiens et les autres peuples autochtones connaissent encore dans le monde d'aujourd'hui, alors ma souffrance aurait et continuerait d'avoir un but. Le combat de mon peuple pour sa survie inspire ma propre lutte. Chacun de nous se doit d'être un survivant. [...]

« Je sais qui je suis et ce que je suis. Je suis un Indien qui a osé se lever pour défendre son peuple. Je suis un innocent qui n'a jamais tué quiconque et n'en a jamais eu l'intention. [...] Si je dois souffrir comme un symbole de mon peuple, alors je souffrirai avec fierté. Je n'abandonnerai jamais. [...]

« Je suis donc connu de l'aigle et du pigeon, tous deux messagers sacrés. Père du Ciel ne m'a pas oublié. Il envoie ses enfants ailés me réconforter. Et j'envoie en direction du ciel, à travers les barreaux, une prière de remerciement.

« Aucun barreau de prison ne pourra arrêter une prière. »

Comité de soutien

Sylvain Duez-Alesandrini & Céline Vaquer-Nos
CSIA/LPSG-France
BP 372
F-75526 Paris Cedex 11
Tél. : 01 43 73 05 80
Fax : 01 43 72 15 77
E-mail : lpsg-france@wanadoo.fr

Site Internet

www.freepeltier.org

À lire

- *Écrits de prison*, Leonard Peltier, Albin Michel, 2000.
- *The Story of Leonard Peltier*, Peter Matthiessen, éditions Viking/ Pelican.
- *Incident à Oglala*, documentaire de R. Redford.
- Les articles de Leonard Peltier et du L.P.D.C. (Leonard Peltier Defense Committee) dans *Spirit of Crazy Horse* (bimensuel).

TIMOTHY CHARLES DAVIS

Timothy Charles Davis vient de fêter ses trente-neuf ans. Depuis vingt-deux ans, il est dans le couloir de la mort en Alabama, condamné pour crime, simplement parce qu'un jour ce jeune Blanc a voulu porter secours à une personne en danger.

« En juillet 1978, j'ai trouvé le corps d'une femme baignant dans son sang sur le sol d'un magasin où elle avait été agressée. J'ai voulu l'aider. Voir si elle était vivante. C'était ma seule pensée. »

Ainsi commence l'appel au secours de Timothy Davis sur le site Internet où il raconte le piège dans lequel il s'est jeté en voulant tenter de sauver une vie. Davis essaie de redresser la victime sans s'apercevoir des taches de sang qui commencent à imprégner ses vêtements. Lorsque la police arrive, il explique son acte. Questionné de nouveau, il répète encore une fois ce qui est arrivé. Et encore. Et encore...

Trop jeune pour se défendre, il devient l'enjeu d'un conflit d'intérêts. À son procès, le témoin clé de l'accusation qui aurait pu lui aussi passer pour un suspect potentiel s'acharne contre lui, dans l'intention évidente de se disculper. On a trouvé des empreintes différentes de celles de Davis sur la victime, des cheveux, du sang différents des siens, mais ces éléments de preuve ne sont ni évoqués ni présentés. Aucune analyse d'ADN n'a été effectuée. Depuis, l'État a perdu les pièces à conviction, rendant impossibles de nouveaux tests scientifiques.

Timothy Davis n'est pas le seul à avoir basculé dans une situation aussi absurde, à avoir vu les preuves de son innocence détruites après un simulacre de procès, à n'avoir obtenu le bénéfice d'aucune circonstance atténuante alors qu'il était mineur au moment des faits. Il n'est pas le seul dans sa douleur mais cette fraternité du désespoir peut devenir une fraternité de combat.

Adresse du prisonnier

Timothy C. Davis
Z-399
Holman 3700
9-U-5 Atmore
Alabama 36503
USA

Site Internet

www.angelfire.com/al3/timdavis/

KENNETH RICHEY

Kenneth Richey se voit condamné à vingt-deux ans à la peine capitale parce qu'il refuse de plaider coupable pour un meurtre qu'il n'a pas commis.

Né dans le milieu des années 1960, d'un père américain, militaire dans l'US Air Force, et d'une mère écossaise, Kenneth Richey considère naturellement l'Écosse comme sa terre de prédilection. Jusqu'à l'âge de dix-huit ans, il vit en effet à Édimbourg avec ses parents et ses deux plus jeunes frères.

En 1982, ses parents se séparent. Kenny suit le chef de famille aux États-Unis, trouve différents jobs, se marie et devient à son tour papa d'un petit garçon. Il divorce et, en pleine dépression, rejoint son père à Columbus Grove, dans l'Ohio. Au cours de l'été 1986, il décide de rentrer en Europe et prend un billet d'avion pour Édimbourg. Mais une semaine avant le départ, le 30 juin, un incendie se déclare dans la résidence où il habite avec son père, et vient réduire ses projets en cendres.

Les flammes dévorent bientôt une partie du bâtiment. Aux pompiers appelés à la rescousse Kenny hurle dans la panique qu'un bébé est prisonnier du brasier. Les secours dissuadent le jeune homme d'intervenir. Des gravats, les pompiers sortent le corps calciné de Cynthia Collins, une petite fille de deux ans asphyxiée par la fumée.

Le jour suivant, Kenneth Richey est arrêté et aussitôt inculpé d'homicide volontaire. Il clame son innocence mais il y a des élections, cette année-là, et Randall Basinger, le procureur, brigue la position de juge du comté. D'ores et déjà, il promet un verdict impitoyable pour celui qui a causé la mort de l'enfant.

Voyons à présent comment vivent les habitants de cette résidence de Colombus Grove, où une bande de jeunes se retrouve régulièrement au rythme des sorties et des parties. Kenny, installé chez son père, est amoureux de Candy Barchet, une voisine, qui vient de le plaquer pour Mike. Hope Collins, la mère célibataire de Cynthia, est connue des services sociaux de la ville pour avoir souvent laissé sa fille sans surveillance, mais aussi du chef des pompiers locaux, qui a été appelé trois fois au cours des dernières semaines pour éteindre des départs d'incendie dans son appartement... Mais jamais aucune mesure n'a été prise.

Le soir de l'accident, il y a une fête dans l'immeuble. Hope s'éclipse avec un amoureux. Plus tard, lors de l'enquête, elle dit avoir confié à Kenny la garde de Cynthia. Celui-ci soutient qu'il a refusé parce qu'il était ivre. Les commérages vont bon train. Comme pour excuser sa propre négligence, Hope Collins devient plus véhémente et persiste à mentir en dépit des efforts désespérés de Kenny pour sauver l'enfant.

Déterminé à tenir son coupable, Basinger, le procureur, propose un marché à celui qui est devenu le principal suspect. Si Kenny accepte de plaider coupable de meurtre au second degré, il se verra infliger une peine de dix ans de prison avec la possibilité d'une libération sur parole après six ans. Mais Kenny Richey refuse. Pour lui, c'est une question d'honneur. Il est innocent. Aucun compromis ne peut ternir ce fait. Même pas les déclarations de Basinger, à la une de la presse locale, qui requiert la peine capitale pour celui qui, selon lui, a attenté délibérément à la vie d'un enfant.

Au procès, l'accusation produit trente-quatre témoins, la défense, six. Pour démontrer la culpabilité de sa cible, Basinger élabore – témoins à l'appui – une fable basée sur la théorie du transfert. À la fin de la fête, Kenny se serait muni d'un bidon d'essence, l'aurait enflammé et jeté dans l'appartement des Collins pour provoquer un incendie et tirer vengeance de Candy, sa petite amie, et de son nouvel amant qui auraient dû dormir dans un appartement voisin. Ainsi le coupable présumé aurait « transféré » son désir de meurtre...

Après un procès de trois jours seulement, malgré l'invraisemblance de la théorie, Kenny Richey se voit déclaré coupable de meurtre avec circonstances aggravantes et condamné à mort parce qu'il a refusé d'endosser la culpabilité d'un crime dont il est innocent.

En 1997, le nouvel avocat de Richey dépose un appel et apporte de nouvelles preuves de l'innocence de son client :

– L'appartement de Hope Collins n'était pas facile d'accès.

— Les vêtements et les bottes de Richey ne portaient pas de trace de produits inflammables.

— Candy Barchet a témoigné que cette nuit-là il faisait très chaud, que sa fenêtre était ouverte et qu'il aurait été facile de jeter une bouteille d'essence dans sa chambre.

— Les tests pratiqués sur la moquette des Collins ne révélaient aucune trace d'essence.

Et surtout, l'avocat produit les rétractations écrites de différents témoins qui prétendent avoir été influencés ou manipulés par le procureur.

L'accusation ne conteste pas les nouveaux éléments du dossier mais refuse néanmoins la requête et rejette l'appel « parce que le ministère public ne savait pas que les expertises étaient fausses et irrecevables ». On l'a déjà vu, c'est une réponse type des magistrats américains. On ne se remet pas en question même si c'est au prix de la vie d'un homme.

Ironie du sort, Thomas Richey, le jeune frère de Kenny, qui avait plaidé coupable pour le meurtre sous LSD de deux employés d'un magasin de l'armée en 1986 et avait été condamné à une peine de soixante-cinq ans de prison, a écrit un livre en 1998 sur sa vie dans un des pénitenciers les plus durs des États-Unis. À croire que dans certains pays le crime est plus payant que l'innocence.

Encore une fois, la justice américaine a privé un homme de son droit de prouver son innocence. Depuis, un très actif comité de soutien écossais et Amnesty International ont mené campagne pour Kenny Richey. Le jeune homme a renoncé à la nationalité américaine.

Les derniers appels rejetés, Kenny attend désormais son exécution en disant qu'il s'en ira une boîte de « popcorn à la main ». Pour le célèbre cabinet d'avocats qui a pris sa défense, comme pour les associations humanitaires, le cas de Kenny Richey relève de « la plus plausible innocence » et devrait être rejugé. Reste à espérer qu'un appel portera enfin ses fruits. Pour l'heure, les autorités lui ont proposé un nouveau marché : passer aux aveux et être transféré en Écosse... Kenny Richey doit donc décider de son sort et définir à quel prix il estime sa vie face au cynisme de ses juges.

Adresse du prisonnier

Kenny Richey
Death Row
Mansfield Correctional Institute
PO Box 788
Mansfield, OHIO 44901
USA
Tél. : 419 525 4455

Pour une donation

Karen Torley (Kenny Richey Campaign)
210 Hamilton Crescent
Cambuslang, Glasgow G72 8TF
Royaume-Uni

LUIS VALENZUELA RODRIGUEZ

Arrêté à tort en 1978, à l'âge de vingt-trois ans, pour le meurtre de deux policiers blancs, Luis Valenzuela Rodriguez a été condamné à mort en 1981. Il a vu sa peine commuée en détention à vie en 1991, mais son calvaire n'était pas terminé pour autant. Accusé par racisme, jugé par racisme, incarcéré, il a été et il est encore victime des représailles des gardiens qui ne supportent ni la couleur de sa peau ni son courage dans la bataille qu'il mène pour le droit à la différence, le droit des détenus et le droit à la justice.

Il faut avoir vécu dans les quartiers mexicains des villes de Californie ou dans les environs de Mission Street, à San Francisco, pour avoir un aperçu du racisme et de la ségrégation endurés par les différentes populations, pour sentir le climat de tension qui règne entre les minorités, entretenu par les autorités afin de les maintenir au seuil de la pauvreté matérielle, de la misère morale et de parfaire une politique répressive.

Lorsque l'on naît comme Luis Valenzuela Rodriguez d'une mère apache mescalero et d'un père mexicain, on est trop souvent traité d'Indien ou de Chicano, ballotté entre les deux peuples les plus méprisés de Californie sans jamais pouvoir s'identifier totalement à l'un d'entre eux, et on a deux fois plus de difficulté à s'intégrer.

Né en 1955 à Merced, en Californie, Luis grandit auprès de sa famille dans un quartier à majorité blanche de Los Angeles. À cinq ans, alors qu'il se rue, seul contre tous, sur des adolescents en train de violenter sa grande sœur, il se fait rosser et se retrouve pendu au bout d'une corde... Quand son père intervient in extremis pour le sauver, les voyous minimisent délibérément leur forfait et prétendent avoir voulu « jouer aux cow-boys et aux Indiens ».

Avec une mère débordée par cinq enfants et un père absent à force de cumuler les emplois pour assurer le quotidien, Luis devient un rebelle, fume de la marijuana, vagabonde au gré des rencontres et se retrouve à quatorze ans dans un foyer de jeunes délinquants. Alors que fleurit l'ère de la contestation et que naissent des mouvements importants tels que les Black Panthers, l'American Indian Movement ou les Brown Berets, qui militent pour les droits sociaux des Chicanos, Luis participe en 1970 à la manifestation de Whittier Boulevard à Los Angeles, au cours de laquelle le journaliste et leader chicano Ruben Salazar est assassiné.

En 1973, à l'initiative de Luis et de ses copains, le journal *Aztlan*, destiné aux Amérindiens et aux Chicanos, voit le jour. Simultanément journaliste, illustrateur, éducateur pour les jeunes en mal de réinsertion, Luis s'inscrit alors à l'université pour devenir avocat. À dix-neuf ans, il se marie. Le temps de « faire » deux enfants, une fille et un garçon, il se retrouve divorcé et multiplie les aventures amoureuses, passant la soirée chez des potes en vue d'hypothétiques agapes. Aux années militantes succèdent les années festives. C'est dans la mouvance du temps. On fuit les entraves pour mieux affirmer sa liberté et son goût des mœurs libérées. C'est ainsi qu'en décembre 1978 il sort depuis plusieurs mois déjà avec une fille du nom de Margaret Klaess, une délinquante notoire, prostituée dès l'âge de douze ans, consommatrice de drogues dures et affiliée aux Aryen Brothers, un gang de rue.

Le 24 décembre 1978, Luis est encore en train de sa balader avec Margaret quand soudain surgissent une vingtaine de policiers qui les menacent de leurs armes. Luis ne s'affole pas. Il n'a que trop l'habitude de ce genre d'opérations et de ce genre de procédés. Plaqué au sol, le revolver d'un des flics sur la tempe, il est amené au poste puis violemment passé à tabac. Alors seulement il comprend que Margaret et lui viennent d'être inculpés du meurtre de deux policiers.

Depuis la veille, les médias ne parlent que de ce fait divers pour exacerber l'indignation du public et enflammer les passions. Dans la nuit du 22 décembre, en effet, vers 3 h 40, sur l'autoroute 80, à l'ouest de Sacramento, Michael Freeman et Roy Blecher, deux policiers blancs, ont été abattus. Le premier de plusieurs balles. Le second, menotté, d'une seule décharge dans la tête. Leurs armes de service de calibre 38, les ustensiles du crime, ont disparu. Dernier détail : près des corps a été abandonnée une autre arme de calibre 22.

Très vite catalogué et dénoncé par les médias et le

public comme « tueur de flics », Luis passe les semaines de l'instruction en isolement, sans recours, dans l'impossibilité d'être assisté par un avocat, livré aux représailles des gardiens de prison et des policiers qui l'interrogent sans relâche.

C'est alors que ces derniers élaborent une machination machiavélique. Ils permettent à une ancienne « fiancée » de Luis de lui rendre visite. À la suite de cette rencontre, Luis lui écrit. Comme le veut le règlement pénitentiaire, l'enveloppe de la lettre soumise à la censure n'est pas fermée. Deux jours plus tard, le « billet doux » se retrouve entre les mains de Margaret qui, immédiatement, jure de se venger de cette infidélité par n'importe quel moyen... Les officiers de justice et les membres du bureau du procureur n'ont plus qu'à enregistrer sa déposition en échange d'une immunité totale.

Mais la perversité ne s'arrête pas là. Le procureur déclare alors à la presse que Luis a avoué, ce qui a pour effet de démotiver le mouvement de soutien qui se créait en sa faveur et de chauffer les esprits contre lui. Il harcèle les relations du détenu pour récolter – contre de l'argent ou contre l'immunité – des témoignages à charge.

Deux ans après l'arrestation de Luis, le procès commence. Luis donne sa version de la soirée du 22 décembre 1978.

Margaret et lui sont allés voir des amis près de San Francisco. Ils sont de retour vers 1 h 30 et, arrivés à Sacramento sans être interpellés par la police, ils se querellent : Luis veut rentrer dormir et Margaret recherche de la cocaïne pour « continuer à faire la fête ». La jeune femme prend la voiture pour mettre ses projets à exécution. Après un détour par le restaurant du coin, Luis rejoint sa chambre au motel et téléphone à son ex-femme. Il est alors 3 heures du matin...

Selon la déposition de Margaret, ils quittent leurs amis vers 2 h 30. Vers 3 h 40, ils sont arrêtés pour excès de vitesse par une patrouille de l'autoroute. Tel Rambo, Luis descend alors de voiture, désarme les deux flics, en menotte un, le descend d'une balle dans la tête puis s'acharne sur l'autre en vidant le reste des chargeurs. Il abandonne son arme et s'enfuit avec celles du crime, à bord d'une Camaro marron foncé. Quelques kilomètres plus loin, a encore ajouté Margaret, ils laissent leur voiture et s'enfuient dans un terrain boueux afin d'éviter d'être repérés par un hélicoptère...

Luis raconte qu'il ne revoit Margaret que le lendemain à 7 heures du matin. Ses vêtements pleins de boue sont dans la baignoire. Elle lui recommande – si la police l'interroge – de dire qu'elle était avec lui toute la nuit.

L'accusation repose donc sur la version de Margaret Klaess.

Inutile de s'attarder sur les preuves et les témoignages douteux, une empreinte de chaussure « retouchée », une paire de jeans avec une tache de sang qui n'avait rien à voir avec l'affaire, le témoignage « fabriqué » de l'amie qui avait invité le couple le soir du drame et qui, dans l'espoir d'une prime de 10 000 dollars, a triché sur les horaires... Enfin, une vague connaissance de Luis, un toxicomane notoire, atteste qu'il lui aurait confié « ses » crimes. Tout cela n'est que fiction. Il est temps à présent de se pencher sur des détails plus importants.

La crédibilité du témoin clé, Margaret Klaess. Arrêtée à plusieurs reprises pour prostitution et usage de stupé-fiants, celle-ci a accompli plusieurs séjours en hôpital psychiatrique en raison de sa consommation d'Angel Dust... Une jeune femme qui, on l'a vu, ne sait pas dominer ses sentiments, ni sa colère, ni sa jalousie. Mais c'est elle que l'on va croire. Le procureur se gardera bien de produire devant la cour ses antécédents médicaux, et le juge ne demandera aucun examen, pour ne pas discréditer les propos de Margaret.

L'avocat de la défense, commis d'office, est inexpérimenté et manifeste un minimum de motivation. Il attend la veille du procès pour obtenir du tribunal un détective privé, néglige les témoins qui pourraient confirmer l'alibi de l'accusé ou semer le doute sur les affirmations de Margaret, n'effectue pas les vérifications les plus sommaires : la liste des appels téléphoniques passés du motel, les analyses balistiques...

Le comité de soutien de Luis Valenzuela Rodriguez en France souligne aussi que lors du procès, Weiner (l'avocat) oublie carrément de faire objection quand « les membres de l'équipe du procureur "dirigent" Margaret. Alors qu'elle était à la barre, ils lui adressaient des signes. » N'importe qui aurait protesté contre ce comportement honteux et illégal. N'importe qui, oui, mais pas le défenseur !

Le procès se déroule en passant sous silence l'existence d'un autre suspect potentiel, un dénommé Rob Sanchez, trafiquant de drogue, petit ami de Margaret qui possédait un calibre 22 et une Ford blanche très semblable à la description donnée par un témoin qui se trouvait sur les lieux la nuit du crime (à noter que celle de Rodriguez est marron !). Le seul détail qui incrimine Rodriguez est une fausse pièce d'identité du jeune homme laissée sur le lieu du crime par Margaret.

Dans ces conditions, il n'est pas surprenant que le jury, qui ne comptait aucun Amérindien mais où un certain Shelby venait mêler ses éléments d'enquête personnelle aux délibérations, déclare le 20 mars 1981 Luis Valenzuela Rodriguez coupable de meurtre au premier degré et le condamne à mort. Ce verdict est représentatif de l'opinion publique californienne, toujours très favorable au châtiment suprême. En seconde position derrière le Texas, la Californie est un des États les plus enclins à prononcer la peine capitale.

Après cinq ans dans le couloir de la mort, Luis peut enfin déposer des demandes d'appel qui sont refusées les unes après les autres. En 1991, le juge Karesh, qui avait mené le procès, reconnaît indirectement son erreur en transmuant sa punition en peine de prison à perpétuité, mais sans toutefois octroyer de libération conditionnelle, prenant seulement en compte son « doute persistant quant à la culpabilité de l'accusé et [son] intime conviction de l'innocence ».

Plusieurs années plus tard, plusieurs appels en habeas corpus et deux avocats plus loin, les requêtes de Luis ne sont toujours pas prises en compte et il n'a plus d'avocat. Militant dans l'âme, devenu *jailhouse lawyer*, c'est-à-dire avocat de prison, Luis aide ses codétenus dans leurs démarches juridiques, pour dénoncer les mauvaises conditions d'incarcération, souvent en relation avec la corruption en usage au sein du système carcéral.

Autant dire que Luis, considéré comme un élément subversif, ne reçoit pas les meilleurs traitements. Depuis 1981, il a connu les prisons de San Quentin, Pelican Bay et depuis avril 2000, Mule Creek. Dans les deux premiers centres de détention, le personnel pénitentiaire a multiplié les intimidations, les « accidents ». Par exemple, une porte qui se referme subitement sur lui, écrasant son corps et occasionnant ainsi une blessure qui le laisse handicapé et le contraint à marcher avec une canne. « Les gardiens, rapporte son comité de soutien, lui ont souvent dit : "Arrête tes activités politiques, arrête de nous emmerder et on te laissera tranquille... Tu auras la belle vie." »

Comme Leonard Peltier (voir p. 81), victime de plusieurs tentatives de meurtre, très diminué par les mauvais traitements, il est atteint de ces désordres post-traumatiques, accès de panique, tremblements, évanouissements, syncopes, cauchemars, dont souffrent beaucoup de détenus des couloirs de la mort après de trop longs séjours dans les cellules sans fenêtre du quartier d'isolement. Malgré cela, Luis n'a jamais renoncé, il continue toujours son combat contre l'injustice et résiste à cette cruauté programmée pour détruire l'individu.

Lorsqu'en 1993 il écrit *In the spirit of crazy horse*, un article sur la façon dont le système s'organise pour détourner les *Native American*, les Amérindiens, de leurs rites religieux et de leurs activités culturelles, il raconte l'émotion qu'il a ressentie – une expérience bouleversante – quand il a marché dans l'herbe pour la première fois depuis quinze ans. Mais hélas cette joie fut aussi fugitive qu'une étoile filante.

En 1999, les autorités de la prison de Pelican Bay changent son statut d'identification. Elles ne le reconnaissent plus désormais comme Amérindien mais comme Mexicain. Pour le couper de ses racines. De tout lien avec ses frères. Il perd l'accès à sa religion. Outre le quartier d'isolement enduré pendant un an et demi, vingt-quatre heures sur vingt-quatre, il traverse le désert le plus cruel de tous, l'exil de l'esprit, et c'est là qu'il commence à connaître de sérieux problèmes cardiaques.

Depuis son transfert à la prison de Mule Creek au printemps 2000, la santé de Luis s'est améliorée mais sa situation reste précaire. Il se réfugie dans sa lutte pour la paix, l'égalité, l'harmonie et l'amour de l'humanité. Comme des lettres lancées dans des bouteilles à la mer, il envoie des poèmes à ses comités de soutien pour décrire ce qui est sûrement « le pire des péchés ».

À ceux qui souhaitent l'entendre, il répète : « Les batailles que nous livrons révèlent notre véritable esprit. La manière dont nous endurons et dont nous faisons face à ceux qui nous oppriment reflète l'essence de notre personnalité. L'esprit du Créateur, ma famille, mes ancêtres, mon peuple, les opprimés me montrent le chemin et guident mon combat. Je suis l'exemple même de nos luttes... »

Adresse du prisonnier

Luis V. Rodriguez
C-33000
PO Box 409 000
IONE, CA 95640
USA
E-mail : freeluisvr@hotmail.com

Comité de soutien

CSIA (Luis V. Rodriguez)
BP 372
F-75526 Paris Cedex 11
Tél. : 011 33 1 4373 0580
Fax : 011 33 1 4372 1577

JIMMY DENNIS

En 1991, James A. Dennis, dit Denny, est inculpé du meurtre d'une jeune fille abattue dans les rues de Philadelphie pour le vol de ses boucles d'oreilles. À la suite d'une enquête « orientée » et de témoignages intentionnellement « dirigés » contre lui, dans l'impossibilité de présenter les preuves de son innocence, Jimmy est condamné à mort.

En 1991, la vie est belle pour Jimmy Dennis. À vingt et un ans, il est même très optimiste. Sa carrière musicale lui promet les meilleurs espoirs. Son groupe, Sensation, fait sensation... et les maisons de disques commencent à s'intéresser à leur rythm'n'blues. Bien marié, père d'une fille et un deuxième enfant presque né, il travaille avec passion pour faire fructifier les premiers signes du succès. En octobre, cependant, sa vie s'écroule.

Une jeune fille de dix-sept ans, Chedell Williams, est abattue à la sortie du métro Fern Rock, à Philadelphie, en Pennsylvanie, alors qu'elle se promène tranquillement avec Zahra Howard, sa meilleure amie. Deux hommes les ont agressées et menacées d'une arme. Un coup de feu a été tiré « bêtement ». Le meurtrier s'est enfui après avoir volé à sa victime une paire de boucles d'oreilles d'une valeur de cent dollars environ.

La population hurle son indignation et presse la police de trouver le coupable. Avec zèle, les investigateurs multiplient les auditions. Zahra Howard, un vendeur de hot dogs et d'autres témoins décrivent deux hommes de couleur noire. Au cours des interrogatoires, les détectives font peser des pressions, des charges hypothétiques sur les individus interpellés. L'un d'eux lâche le nom de Jimmy, un garçon avec lequel il est souvent en répétition. Spontanément, pour faire taire la rumeur, ce dernier, accompagné de son père, se rend au commissariat pour être entendu mais il n'est même pas reçu.

Un mois plus tard, il est arrêté pour le meurtre. Les autorités essaient de l'impliquer aussi dans huit ou neuf vols mais sans succès car Jimmy n'a pas d'antécédents judiciaires. Hormis la musique et sa famille, il n'a pas d'autre univers. La police se rabat donc sur le seul chef d'accusation important : le meurtre de Chedell Williams.

Le procès commence. Jimmy n'a rencontré Lee Mandell, son avocat trop occupé, qu'une seule fois. Quand l'accusé lui demande si on a retrouvé des empreintes sur un bouton de la veste du tueur, arraché par la victime, le défenseur lui répond de ne pas s'inquiéter car les siennes ne peuvent pas y être. Dennis insiste. Il aimerait que les empreintes soient analysées car cela pourrait révéler l'identité de l'assassin. Mais cela ne fait pas bouger Mandell, peu motivé, qui n'entreprendra jamais de recherches complémentaires, pas plus qu'il ne protestera en voyant le président du jury s'endormir pendant les débats.

La cour passe très vite sur le fait que l'accusé n'a pas de lien avec le crime, ni avec la victime, qu'aucun test, aucune analyse ne sont fournis. Sont appelés à la barre une pléthore de faux témoins ou de témoins manipulés. Volontairement, la cour oublie d'appeler les personnes qui pourraient jurer avoir vu Jimmy Dennis à l'autre bout de la ville, dans un bus, puis avec son père ou au téléphone en train de parler à sa femme. Inutile donc de produire un relevé téléphonique qui pourrait le prouver. Inutile de mentionner que trois témoins au moins – dont Zahra Howard – ont affirmé que le tueur était un homme de 80 kilos pour 1,80 mètre alors que Dennis pèse 60 kilos pour 1,65 mètre et est surnommé Minus par ses amis. Non. L'accusation s'appuie essentiellement sur le témoignage de Charles Thompson, un copain musicien de l'accusé, qui a été interrogé par cinq policiers des heures durant et dont la déclaration – comme il le dira cinq ans plus tard lors de sa rétractation – a été obtenue par la coercition et par la menace de se voir accusé du crime. Enfin lorsque Mandell, le défenseur, avance qu'il n'y a pas de motif, il se voit répondre : « Pourquoi faudrait-il qu'il y ait un motif ? » Dans ces conditions, il est vain d'épiloguer. Jimmy Dennis est condamné à mort.

En 1996, la Coalition canadienne contre la peine de mort (CCADP) multiplie les efforts démesurés pour aider Jimmy. Deux de ses militants, Tracy Lamourie Brendeis, avocat, et Dave Parkinson, enregistrent la rétractation du témoin clé Charles Thompson et la déposition de Zahra Howard, présente lors du crime, qui déclare avoir été dans « l'impossibilité d'identifier le meurtrier » bien qu'elle ait affirmé le contraire au tribunal. On peut lire actuellement ces témoignages sur le site Internet de Petra Richter.

Le 7 janvier 1999, alors qu'il doit être exécuté, Jimmy obtient cent vingt jours de sursis et une comparution devant un juge au mois de septembre de la même année, afin de déterminer s'il peut avoir droit à un deuxième procès. Pour Jimmy, qui n'a jamais vu sa seconde fille, née une semaine après son incarcération, et malgré des problèmes de santé similaires à ceux de beaucoup de détenus, la lutte continue.

Adresse de Jimmy

E-mail : jimmydennis@mailcity.com

Comité de Soutien

Petra E. Richter
Schwartzstrasse 16
D-46397 Bocholt
Allemagne

Site Internet

http ://home.t-online.de/home/Petra.E/justice.htm

KERRY MAX COOK

Inculpé en 1978 pour un meurtre commis un an plus tôt au Texas et dont la victime, Linda Jo Edwards, est une personne de couleur blanche comme lui, Kerry Max Cook, un jeune homme de vingt ans, voit à quatre reprises son destin faire volte face. Jonglant d'appels en procès avec le doute de son innocence et la présomption de sa culpabilité, le droit de vivre et le châtiment suprême, les autorités judiciaires de l'État le libèrent enfin en 1997. En reprenant les entretiens qu'il avait accordés à des journalistes français, et grâce à quelques précisions qu'il a bien voulu nous confier, nous avons reconstitué son parcours.

L'histoire se déroule à Tyler, une petite ville universitaire du Texas à la fin des années 1970. Comme il le raconte à Catherine Durand, du mensuel français *Marie Claire*, et à *Envoyé spécial* sur France 2, Kerry se définit alors comme « un petit délinquant aux cheveux longs, fumeur de hasch ». Bien que son visage manque encore de maturité, il se targue d'un certain succès auprès de celles qui aiment le genre *latin lover*.

En juin 1977, Cook cohabite avec un homosexuel dans une résidence où il fait la connaissance de Linda Edwards. Celle-ci l'invite même à lui rendre visite. Trois jours plus tard, la jeune femme est assassinée.

Lorsque sa colocataire Paula Randolph découvre le corps et appelle la police, le premier à se rendre sur les lieux est un jeune officier. Il connaît la victime, il est allé à l'école avec elle. Interviewé par la télévision française, il décrit la scène. Le choc provoqué par la mort de son ancienne condisciple est d'autant plus violent que l'assassinat a été commis avec une rare sauvagerie. Frais émoulu de son école, fort de l'enseignement qu'il vient de recevoir, les préjugés chevillés au corps, il affiche des convictions extrémistes qu'il n'a jamais abandonnées et qui pourraient laisser croire qu'il a subi une lobotomie ou un lavage de cerveau. Assoiffé de vengeance, aveuglé par la colère, il se lance dans l'enquête à la recherche d'un coupable.

« Mes empreintes sur la porte du patio [de l'appartement d'Edwards], explique Kerry Cook à Catherine Durand, et l'expertise menée par le docteur Landrum, psychologue de l'État du Texas, m'ont accusé. Le profil de l'assassin qu'il avait établi était celui d'un homosexuel de dix-huit à trente ans, qui avait déjà eu des démêlés avec la justice. Je cohabitais alors avec un homosexuel et j'avais un casier judiciaire. Je suis devenu le suspect idéal. [...] Adolescent, j'étais un rebelle qui fuguait avec ses copains à bord de voitures volées. »

À son procès, en juin 1978, Cook, « comme un gosse qui pensait que des innocents ne pouvaient pas être jugés coupables », voit déferler une avalanche de preuves fabriquées et de faux témoignages. Un « mouchard » de la prison certifie que l'accusé lui a confessé son crime. Paula Randolph, la colocataire qui a croisé l'assassin le soir du drame et a reconnu l'amant avec qui Linda venait de rompre, revient sur sa déclaration et rejoint la théorie de l'accusation. Le policier de l'enquête présente un test hasardeux dont il a appris la technique par correspondance et selon lequel les empreintes de Cook dateraient de six à douze heures avant l'agression !

Défendu par un avocat commis d'office, Cook est condamné à rejoindre le couloir de la mort. « Une société barbare, dit-il à Catherine Durand, où seuls les plus forts survivent. Les gardes détestent les détenus, qui les haïssent. Brutalisé, j'ai vécu dans la peur. Ma famille m'a abandonné. J'ai fait trois tentatives de suicide : je ne voulais plus attendre ma mort programmée par le gouvernement, sanglé comme un animal sur la table d'exécution. »

En 1988, après dix ans d'emprisonnement, à huit jours de son exécution prévue par injection létale, les autorités judiciaires acceptent de revoir son dossier.

Suivent alors dix années de folie et de tergiversations. En 1992, le premier jugement est réexaminé en appel, et la cour conclut au maintien de la condamnation. En 1993, un juge retourne la situation et déclare que les procureurs ont fait disparaître des preuves essentielles, ce qui entraîne une nouvelle procédure en janvier 1994...

Un autre juge exclut alors délibérément des témoins favorables à la défense. Un certain Ressler notamment, chargé pendant seize ans des expertises psychiatriques du FBI, auteur d'une note qui certifie que l'assassin ne pouvait être qu'un intime de la victime. La cour dédaigne donc à nouveau ce qui pourrait innocenter l'accusé et incriminer l'amant de Linda, une personnalité du campus universitaire connue pour son tempérament violent. À l'issue de ce procès, Cook est à nouveau condamné à la peine capitale.

Il raconte à Catherine Durand le dénouement de cette affaire insoluble. « C'est l'association Centurion Ministries, dans le New Jersey, qui m'a sauvé comme elle a déjà sauvé vingt-sept personnes. Sans son directeur, Jim McCloskey, je n'aurai pas survécu à la machine à tuer de George Bush. J'aurais été exécuté. Leur contre-enquête a duré onze ans. Ils ont tout repris à zéro, rencontré tous les témoins, dépensé un million de dollars ! Ce sont des investisseurs de Wall Street, à New York, qui ont financé leur contre-enquête. »

Le 11 novembre 1997, vingt ans après son arrestation, Cook est enfin libéré contre une caution de 100 000 dollars. Le meurtre n'aura jamais d'auteur. L'ancien amant de la victime poursuit sa vie de notable. Le jeune policier a pris du poids et du ventre mais diffuse toujours les mêmes idées sectaires. Convaincu de la culpabilité de Cook, il exprime des opinions au diapason de la pensée dominante dans ces contrées : « Le crime est une guerre. Dans une guerre, il y a des victimes. » Le policier n'est pas le seul à rester sur ses positions. Celui qui avait mené l'accusation persiste aussi dans son jugement et continue à expliquer que l'autre coupable potentiel est victime de calomnies. Dans l'interview accordé à *Marie Claire*, Cook ajoute : « Le 16 février 1999, le procureur, qui avait juré de me renvoyer dans le couloir de la mort, a jeté l'éponge et m'a proposé un accord. Il m'offrait la liberté si je signais un papier *no contest*. Après avoir été envoyé deux fois dans le couloir de la mort, j'ai accepté. J'étais un homme libre. Seulement, je ne peux exiger de dommages et intérêts, car au Texas, vous ne pouvez poursuivre l'État que dans les deux ans qui suivent votre condamnation. J'avais amplement dépassé les délais ! Je n'ai eu ni compensation financière ni excuses. C'est difficile, j'ai dû me battre pour reconstruire ma vie. Mais je sais que j'ai une mission à accomplir. »

À sa sortie de prison, il s'est marié avec Sandra. Ensemble ils ont eu un petit garçon prénommé Kerry Justice. Depuis, Cook voyage beaucoup, donne des conférences, notamment dans les universités, et essaie d'avoir un impact sur la société et les lois de certains États.

Des années de cauchemar, il garde en mémoire les jours sans chauffage si durs à supporter, surtout les cinq premières années... les compagnons qui essayaient de faire du feu avec tout ce qu'ils trouvaient... la peur de la violence, au moment de la promenade quand il était enfermé seul dans sa cellule que l'on aurait pu décrire comme une sorte de boîte et les moments où il pouvait se mêler aux autres...

Pendant son séjour dans le couloir de la mort, nous explique-t-il, il a vu 141 hommes et femmes se faire exécuter : « Leur seul crime était d'être pauvres, trop miséreux pour se payer un défenseur compétent. On le sait. Les juges désignent des avocats inexpérimentés pour expédier plus rapidement le procès, et cela toujours au détriment de la défense, privilégiant systématiquement une seule catégorie d'individus : les nantis... C'est profondément injuste. J'ai vu la justice mourir 141 fois. Pas besoin de faire partie d'un groupe abolitionniste pour savoir que des innocents sont exécutés dans le couloir de la mort du Texas.

« Tant qu'il n'y aura pas de nouvelle législation concernant les indigents, que le public fermera les yeux et que les médias pratiqueront la politique du silence, des innocents continueront de risquer la mort... Loin de moi d'être tenté par un bonheur douillet et de me laisser rassurer par un certain confort, j'ai décidé de dédier ma vie à cette lutte et de me consacrer au réveil d'un monde endormi qui se perpétue au nom du silence et de l'indifférence. »

Source

Marie Claire, décembre 2000.

Le magazine **Marie Claire** *qui publie régulièrement des chroniques sur les condamnés à mort nous a donné, à titre exceptionnel, l'aimable autorisation de reproduire l'extrait de l'article cité.*

Adresse de Kerry

E-mail : kmcfreedom22@aol.com

Pour aider Kerry dans son action

The Kerry Cook Fund
Bank of America
P.O Box 620020
Dallas, TX 75262-0
USA

CENTURION MINISTRIES

Mouvement à but non lucratif basé à Princeton dans le New Jersey, constitué d'une équipe de cinq permanents et d'un réseau national d'avocats, d'experts et d'enquêteurs, Centurion Ministries a pour objectif d'assister, de libérer et de réintégrer dans la société les prisonniers injustement condamnés à la prison à perpétuité ou à la peine capitale aux États-Unis et au Canada. En dix-sept ans d'existence, sans aucun subside gouvernemental, ne vivant que de la générosité de donateurs, de fondations, d'Églises ou de particuliers, Centurion Ministries a permis la libération de vingt-deux personnes qui, pour la plus grande majorité, avaient subi — à tort — une quinzaine d'années d'incarcération.

Centurion Ministries est au départ l'œuvre d'un homme qui s'est lancé dans l'aventure avec l'énergie et la ferveur d'un authentique sacerdoce. Originaire de Philadelphie, Jim C. McCloskey, bientôt sexagénaire et encore dynamique, est depuis toujours un homme d'action. Diplômé en 1964, il passe trois années dans la marine, dont une à Tokyo comme élève officier en charge des communications et une dans le delta du Mekong avec la mission d'intercepter les infiltrations du Viêt-cong. Décoré pour

115

son courage à son retour au pays en 1968, il se lance dans le « business » après une nouvelle formation en Arizona. Fort de sa connaissance du monde asiatique, il exerce une activité de conseil, partageant tout d'abord son temps entre New York et Tokyo, puis en s'établissant de nouveau en Pennsylvanie en 1974.

En 1979, alors âgé de trente-sept ans, il se sent appelé à devenir pasteur. Inscrit au séminaire théologique de Princeton (PTS), il devient en 1980 chapelain à la prison d'État de Trenton, où il rencontre Jorge De Los Santos, un détenu qui clame son innocence. À partir de là, l'existence de Jim McCloskey trouve avec certitude sa ligne directrice. Il prend une année sabbatique pour innocenter son nouvel ami. Créant un comité de soutien, s'assurant les services d'un avocat renommé et menant sa propre enquête, il permet à De Los Santos de quitter la prison en juillet 1983, totalement disculpé. Dès lors, Jim décide d'oublier sa vocation sacerdotale, de constituer Centurion Ministries et de passer le reste de sa vie au service des prisonniers innocents.

Lorsque l'on demande aux responsables de Centurion Ministries quels sont les cas dont ils se chargent, ils répondent qu'ils s'occupent en priorité des laissés-pour-compte, des sans-ressources, des désespérés qui n'ont absolument rien à voir avec les crimes dont on les accuse. Les cas de légitime défense ou de mort accidentelle ne sont pas retenus. Seuls sont pris en compte les cas dans lesquels on peut démontrer et établir « scientifiquement » l'innocence de l'accusé.

Les détenus écrivent et expliquent leur situation aux responsables du mouvement Centurion Ministries, qui reçoivent environ mille demandes d'aide par an. Lorsque les appels au secours répondent aux critères de sélection, Centurion Ministries vérifie les informations ; puis l'affaire est examinée plus en profondeur avec une vingtaine de bénévoles. Actuellement il existe une liste de 250 à 300 dossiers en attente et 18 procédures sont en cours.

Parmi la vingtaine de prisonniers innocentés grâce à la mobilisation de Centurion Ministries, on compte Kerry Cook, le plus médiatisé, que l'on retrouve par ailleurs en page 109 de ce livre. Pour savoir à quoi ressemblent les autres interventions, voici la présentation succincte d'une douzaine de cas. Des histoires brutes, abruptes qui se passent de commentaires.

Adresse des associations

Centurion Ministries
32 Nassau St., Third Floor
Princeton, NJ
USA
Tél. : 609 921 0334

National Association of Criminal Defense Lawyers (NACDL)
1025 Connecticut Ave.
NW, Ste. 901, Washington DC 20036
USA
Tél. : 202 872 8600
Fax : 202 872 8690

Sites Internet

www.nacdl.org
www.truthinjustice.org
www.criminaljustice.org

RENÉ SANTANA

Condamné en 1976 pour meurtre sur un faux témoignage.

Libéré en 1986 après dix ans de prison. L'investigation de Centurion Ministries démontre que le témoin de l'accusation avait passé un marché avec le procureur.

DAMASO VEGA

Inculpé en 1982 pour le meurtre d'une adolescente de seize ans, la fille de son meilleur ami.

Libéré en 1989. Grâce à l'intervention de Centurion Ministries, trois témoins se sont rétractés.

NATHANIEL WALKER

Accusé en 1975 de viol. Huit ans de prison. Trois ans de cavale.

Libéré en 1986 après avoir été disculpé par une analyse de sang demandée par Centurion Ministries.

JOYCE ANN BROWN

Condamnée à perpétuité en 1980 pour un vol et un meurtre commis à Dallas, au Texas.

Disculpée en 1989 après l'intervention de Centurion Ministries et l'identification du coupable, son sosie.

MATTHEW CONNOR

Accusé de meurtre et de viol en 1978.

Libéré en 1990. Ayant convaincu les autorités de Philadelphie de rouvrir le dossier, Centurion Ministries découvre que la police a dissimulé des rapports et entériné des faux témoignages.

CHARLES DABBS

Condamné à perpétuité en 1982 pour viol.

Libéré en 1991, après dix ans de prison. C'est l'analyse de l'ADN prise en charge par Centurion Ministries qui l'innocente.

DAVID MILGAARD

Condamné en 1969 pour meurtre et viol.

Libéré le 16 avril 1992 après vingt-trois ans de prison sur un ordre sans précédent de la Cour suprême canadienne. Après deux années d'investigation, Centurion Ministries apporte les preuves de l'innocence de Milgaard. Enfin, en 1997, une analyse de l'ADN confirme l'évidence et permet l'arrestation du véritable coupable, vingt-huit ans après le crime.

EDWARD HONAKER

Emprisonné en 1984 avec deux condamnations à perpétuité : l'une pour viol, l'autre pour enlèvement.

Libéré en 1994. L'enquête de Centurion Ministries et l'analyse de l'ADN l'innocentent et annulent deux témoignages erronés.

ELMER GERONIMO PRATT

Condamné en 1972 sur de mauvaises informations du FBI pour un meurtre commis en 1968 alors qu'il était un des leaders des Black Panthers de Los Angeles.

Libéré en 1997 après les quatre ans d'enquête de Centurion Ministries, qui apporte la preuve des affabulations de l'accusation.

ROGER COLEMAN

Condamné en 1982 pour meurtre.

Après quatre ans d'investigation, Centurion Ministries apporte la preuve de son innocence, mais la cour et le gouverneur de l'État refusent tous les sursis. Roger Coleman est exécuté le 20 mai 1992 sur la chaise électrique.

En 1997, John Tucker retrace la bouleversante histoire de Roger Coleman dans un superbe livre, *May God Have Mercy*, publié par W.W. Norton.

JIMMY WINGO

Condamné en 1983 pour meurtre.

Exécuté le 16 juin 1987 sur la chaise électrique. Le gouverneur de Louisiane a refusé de lui accorder une grâce et d'examiner les nouvelles preuves fournies par Centurion Ministries : les confessions filmées de deux témoins qui ont admis avoir menti au procès sous la pression d'un shérif.

CLARENCE BRANDLEY

Inculpé et condamné à la peine capitale en 1981 pour le viol et le meurtre d'une adolescente blanche de seize ans, Clarence Brandley, un Afro-Américain, est innocenté et libéré en 1990.

En août 1980, Clarence Brandley travaille comme surveillant au collège de Conroe, où une jeune élève est retrouvée morte dans un amphithéâtre. L'enquête de la police révèle qu'elle a été violée. Déjà le standard de l'établissement est assailli par les appels de parents d'élèves qui menacent de retirer leurs enfants de l'école si le meurtrier n'est pas arrêté.

D'ores et déjà, il devient urgent de boucler l'enquête, et à défaut d'établir la vérité, de bâcler un scénario crédible. Les personnes présentes ce jour-là sont recensées. Parmi les concierges et les autres membres du personnel, Brandley détonne par la couleur de sa peau. Il est la « bonne » cible. Un des policiers lui dit bientôt : « Toi, le nègre, tu es l'élu ! »

Les détectives et les procureurs n'ont plus qu'à ignorer la somme de preuves qui pourraient les conduire au vrai tueur. Un des employés blancs a été aperçu en train d'accoster la victime mais on évince le témoin. Un des poils du pubis du violeur a été relevé sur le corps et ne correspond pas à ceux d'un homme noir, mais les enquêteurs font de la résistance et de la rétention d'informations sans chercher à obtenir des analyses complémentaires. Brandley est condamné à mort.

Des années plus tard s'organise une vaste campagne à l'initiative des associations de défense des droits de l'homme.

En 1990, un complément d'enquête effectué par Centurion Ministries renverse la situation : deux témoins se rétractent et le véritable coupable est identifié – bien que la plupart des preuves matérielles aient été « perdues ».

Depuis, Clarence Brandley est pasteur dans une petite commune près de Houston. En paix. Il remercie le Ciel d'avoir soufflé à des justes de se révolter contre l'outrage qui était fait à l'un des leurs.

TEXAS DEFENDER SERVICE

Collectif d'avocats à but non lucratif privé et indépendant, depuis 1995, date de sa création, Texas Defender Service (TDS) assiste et représente les condamnés à mort sans ressources de l'État du Texas. Son action se déroule dans un environnement difficile où les exécutions se succèdent conformément aux préceptes de l'idéologie dominante dans la région.

TDS a vu le jour sur l'initiative de Jim Marcus. Étudiant, il s'est intéressé à la question de la peine capitale dès 1991 ; il s'est ensuite plongé dans des dossiers de condamnés à mort avant de se lancer dans la vie active au service du Texas Resource Center (TRC), une agence fédérale. Quand le gouvernement a interrompu ses subventions, il s'est associé à deux autres avocats du centre, Mendy Welch et Gregory Wiercioch, pour former le TDS. Depuis janvier 1997, Jim Marcus a succédé à Mendy Welch dans les fonctions de directeur. L'équipe est passée d'un effectif de trois à sept avocats, dont Maurie Levin, qui a accepté de répondre à quelques-unes de nos questions.

Avocate expérimentée de l'État du Texas, affiliée comme Jim Marcus au TRC, Maurie Levin a représenté pendant huit ans, pour son propre compte ou pour celui de l'agence, les prisonniers du couloir de la mort du Texas devant les autorités judiciaires de l'État et les cours fédérales. Son intervention la plus célèbre concerne le procès de Timothy McVeigh. Depuis sa création au début de l'an 2000, elle supervise l'antenne de TDS à Austin.

Tout en préconisant sans relâche un *trial project* (un projet de réforme judiciaire), TDS s'évertue, avec sérieux et une rare probité, à développer les activités suivantes : la représentation des détenus indigents condamnés à la peine capitale à tous les niveaux des différentes procédures – les appels en habeas corpus compris –, la mise en place d'une assistance pour les avocats de la défense chargés de représenter les accusés au tribunal, l'étude des affaires déjà référencées afin de mieux détecter les failles dans les nouveaux dossiers, l'animation de séminaires d'information sur les législations en cours et les moyens d'investigation utilisés, le recrutement – au cas par cas – de conseils privés et d'experts, la communication avec les médias et le suivi avec les autres associations concernées... N'existant que par les donations et les subsides de ses généreux donateurs, TDS précise que ce collectif n'est surtout pas une agence gouvernementale et qu'il ne reçoit donc aucune subvention.

Impliqué comme on le voit dans de nombreuses actions, TDS propose aussi, sur son site Internet, une étude critique de la justice du Texas. À la manière de ceux rédigés par des associations telles qu'Amnesty International, le rapport livre une véritable réflexion sur les abus pratiqués dans l'État du gouverneur George W. Bush, des chiffres, des pourcentages concrets de malversations au sein du système judiciaire texan, extrêmement compliqué et retors, dont la devise pourrait être : « Diviser pour régner. Enchevêtrer pour exterminer. »

L'étude intitulée *A State of Denial : Texas Justice and the Death Penalty* dénonce, au chapitre 2, les vices de procédure, l'inconduite manifeste des autorités concernées, leur volonté délibérée de manipuler la vérité ; au chapitre 3, les rapports d'experts, bien loin d'être au-dessus de tout soupçon et où le don de prédiction tient souvent lieu de science exacte ; au chapitre 4, les manifestations de la discrimination raciale ; au chapitre 5, la condamnation et l'exécution des personnes retardées mentales ; aux chapitres 6 et 7, les fautes professionnelles et le laxisme des avocats commis d'office ; au chapitre 8, le faux mythe des recours et autres procédures d'appel qui donnent bonne conscience aux élus et au public en laissant espérer la réparation des erreurs et des abus judiciaires ; au chapitre 9, enfin, le cas de six hommes exécutés et dont la culpabilité est contestée.

Rédaction sérieuse, étayée par des faits authentiques prouvés et vérifiés, des statistiques, des constats scientifiques, des cas analysés, référencés pour composer une mémoire, cette étude est aussi révélatrice qu'une autopsie, à cette différence près que le sujet traité, le système judiciaire texan, est loin d'être mort !

À titre d'exemple, nous reprendrons trois des nombreuses affaires qui illustrent les allégations de l'étude *A State of Denial : Texas Justice and the Death Penalty* : l'affaire de Joseph Nichols et Willie Williams, celle de James Lee Clark et James Brown, et enfin celle de Johnny

Dean Pyles. Dans les chapitres suivants, avec l'éclairage du travail consciencieux des avocats de TDS, nous traiterons les cas de trois condamnés à mort exécutés malgré l'absence de preuves véritables : David Wayne Spence, Gary Graham et Odell Barnes.

Adresses du collectif

Texas Defender Service
412 Main Street – suite 1150
Houston, TX 77002
USA
Tél. : 713 222 77 88
Fax : 713 222 0260

Texas Defender Service
510 South Congress – suite 307
Austin, TX 78704
Tél. : 512 320 8300
Fax : 512 477 2153

Site Internet

www.texasdefender.org

JOSEPH NICHOLS
et WILLIE WILLIAMS

Au cours d'un vol à main armée organisé par Willie Williams et Joseph Nichols, Claude Shaffer est abattu à la porte d'une pâtisserie de Houston, au Texas. La police constate que la mort a été provoquée par un seul coup de revolver et, après avoir interpellé les deux truands, se trouve dans l'incapacité de déterminer le responsable du meurtre.

Au premier procès, le procureur affirme que c'est Williams. Au deuxième procès, le même procureur charge Nichols et requiert une deuxième condamnation à mort.

Chaque fois, le procureur décrit les faits comme cela l'arrange, et obtient ainsi non pas une mais deux peines capitales. Williams a été exécuté en janvier 1995. Nichols, lui, est toujours dans le couloir de la mort.

JAMES LEE CLARK et JAMES BROWN

En 1993, James Lee Clark et James Brown sont arrêtés pour le meurtre de Shari Crews et Jesus Garza, tués chacun d'une balle.

Premier inculpé, Clark est condamné à mort. Puis Brown est jugé à son tour dans un nouveau procès. Le médecin légiste, expert assermenté, qui avait juré au procès de Clark que les coups de feu avaient été tirés « à quelques centimètres », déclare cette fois-ci que le tireur se trouvait « à quelques pas ». Le compte de Clark étant déjà réglé, il s'agit de punir un nouveau coupable. Et s'il le veut, après tout, Clark n'a qu'à faire appel ! Le lecteur, désormais averti de ce genre de pratique, sait ce que cela signifie : une interminable suite de requêtes sans réponse.

JOHNNY DEAN PYLES

Le 20 juin 1982, sur un parking désert, l'officier de police Ray Kovar surprend Johnny Dean Pyles en pleine activité, apparemment illégale. Kovar ouvre le feu à six reprises sur le délinquant. Celui-ci réplique et tue le policier. Il dira plus tard qu'il n'avait pas vu à qui il avait affaire. La question qui se pose alors est la suivante : s'il est prouvé que Pyles ignorait la fonction de Kovar, il évite la peine capitale et peut prétendre avoir agi en état de légitime défense. Encore faut-il produire des éléments de preuve.

Deux mois plus tard, sans motif réel, la police transfère Pyles et le change de cellule. Après l'isolement forcé, le délinquant se retrouve avec deux autres détenus bien connus pour être des mouchards. Ces derniers admettront plus tard qu'ils avaient été vigoureusement invités « à entendre ce qu'il fallait entendre ». Mais Pyles garde le silence, la confession des délateurs est enregistrée. Cinq mois après, Pyles est condamné sur le seul témoignage des taupes de la prison. Malgré la rétractation des deux faux témoins, Pyles est exécuté.

DAVID WAYNE SPENCE

Condamné en 1984 et 1985 lors de deux procès consécutifs pour l'enlèvement, le viol et le meurtre de trois adolescents commis au cours de l'été 1982 au Texas, David Wayne Spence a été exécuté le 3 avril 1997 alors que sa culpabilité n'était pas prouvée.

En juillet 1982, deux filles et un garçon profitent de leurs vacances pour se balader dans les espaces verts du lac Waco. Les trois ingénus passent le temps agréablement comme on peut le faire à seize ans quand on veut s'amuser et que l'on a envie de se promener dans les allées ombragées pour rire, se taquiner et jouir d'une liberté toute neuve.

Il fait beau. Il fait chaud. Le ciel est bleu et le reflet de la nature dans le lac offre l'image d'un paysage idyllique. Les badauds assez nombreux remarquent la joyeuse bande et leur voiture orange.

Le lendemain, les trois adolescents sont retrouvés morts dans le voisinage. Après enquête, alors que la police de Waco patauge, Truman Simons, un officier de patrouille qui n'a pas participé à l'affaire, se propose de jouer les Zorro et persuade son chef de lui confier la responsabilité de l'enquête, jurant par tous les diables qu'il se fait fort de retrouver les meurtriers dans la semaine.

Trois jours plus tard, sans traîner, Simons arrête Deeb, un des compères de Spence, et le garde six jours pour des auditions. Le chef de la police doit intervenir et ordonne la libération du pseudo-suspect. La semaine suivante, Simons démissionne. Mais il ne lâche pas prise : il lui suffit d'une quinzaine de jours pour revenir à la charge. Nanti d'une nouvelle affectation et profitant de son titre de shérif, il reprend les recherches, focalise son attention sur Spence qui, avec Gilbert Melendez, a été interpellé récemment pour un délit mineur. Dès lors, il suffit à Simons d'avoir quelques conversations très orientées avec les codétenus de Spence pour obtenir d'eux des témoignages où ils attestent, selon la bonne vieille méthode fomentée par les mouchards de prison, avoir entendu le jeune homme se vanter des trois assassinats.

Nul ne se préoccupe plus ensuite des autres pistes ni d'un dénommé Harper, connu des policiers du coin pour son casier judiciaire bien rempli et ses vingt-cinq agressions, dont plusieurs sur des adolescents... Non. Spence est le coupable ! Dans ces circonstances, les faits n'ont pas d'importance. Et pourtant ! Aucune preuve matérielle ne renforce cette théorie. Rien ne relie Spence au triple meurtre.

Les empreintes et les échantillons de cheveux prélevés par le FBI sur les victimes ne correspondent ni à ceux de Spence ni à ceux de ses copains. Le dénommé Harper, par contre, a été vu près du lac Waco et s'est vanté, en racontant certains détails, des sévices administrés aux victimes. Plus fort ! Il a même justifié de son emploi du temps avec un faux alibi. Il a dit avoir regardé *Dynasty* à la télévision alors que la célèbre série n'était pas programmée ce soir-là. Mais rien n'est retenu contre lui. Une vingtaine de témoins certifient ne pas avoir vu Spence et ses complices ni une personne leur ressemblant sur les lieux du drame. En revanche, plusieurs de ces mêmes personnes se souviennent de Harper... En vain !

Le premier procès commence. L'accusation s'appuie sur les témoignages des codétenus, et l'expertise d'un orthodontiste assure que les empreintes des dents de Spence ont été relevées sur les corps des victimes. Au cours de l'audience, l'une après l'autre, les preuves sont disséquées. Les témoins se rétractent. Les spécialistes produisent une contre-expertise en faveur de l'accusé.

Mais ce n'est pas fini. Un second procès se dessine, essentiellement basé cette fois-ci sur les aveux des deux coaccusés, Deeb et Melendez, les copains et complices qui, en échange d'un traitement de faveur et de l'abandon d'anciennes charges contre eux, n'hésitent pas à trahir et à dénoncer leur camarade. En dépit des multiples contradictions de leur discours, David Wayne Spence est condamné.

Suivent de nombreux appels et l'arrivée de nouveaux défenseurs. Ils reprennent le dossier, étudient les centaines de pages de déposition, relèvent nombre d'erreurs, mais les autorités des différentes cours d'appel font la sourde oreille et nient tout vice de procédure.

En 1994, tandis que la police vient l'arrêter pour une nouvelle agression, Harper se suicide.

Après un dernier repas composé d'un poulet-frites et d'une glace au chocolat, arrosé de café et de thé, David Wayne Spence est exécuté par un jour de printemps, le 3 avril 1997.

GARY GRAHAM

Accusé en mai 1981 d'un meurtre commis sur un homme de couleur blanche, condamné à mort la même année, Gary Graham a été exécuté le 22 juin 2000 au Texas, malgré une mobilisation de l'opinion internationale, convaincue de son innocence.

Le 13 mai 1981, sur un parking situé juste devant la boutique d'un épicier, Bobby Lambert, un homme blanc, est attaqué par un Noir qui tente de lui dérober de l'argent ou des objets de valeur. La bousculade prend une mauvaise tournure. Un coup de revolver de calibre 22 part. Lambert s'effondre, mort.

Une semaine plus tard, Gary Graham, un jeune Noir de dix-sept ans, est arrêté pour un vol qui n'a rien à voir avec le meurtre et qu'il avoue lors d'un premier interrogatoire. Le 27 mai, Graham est inculpé de l'agression contre Lambert sur la seule foi d'un témoin oculaire qui prétend avoir vu le meurtrier.

Au procès, aucun des faits qui pourraient être évoqués en faveur de l'accusé n'est mentionné. La défense omet d'interroger le témoin clé sur la façon dont a été identifié Gary Graham ; en effet, la police lui a montré plusieurs soirs de suite les mêmes photos. Le témoin a certes reconnu le suspect... puisqu'il l'avait vu la veille sur le même cliché.

Rien ne relie Graham au meurtre. Le calibre 22 qui lui appartient n'est pas l'arme du crime. L'expert l'a certifié, mais la preuve n'est pas présentée au jury. D'autre part, les deux employées de l'épicerie ont vu l'assassin ; elles sont certaines qu'il ne s'agit pas de Gary Graham.

Dissimulation de preuves, témoignage obtenu par un procédé abusif de la police... De fortes présomptions d'innocence face à un seul point négatif, la déclaration d'un témoin douteux. Malgré cela et en dépit de l'évidence, Graham est condamné à mort. Convaincus de sa culpabilité dès le départ, ses avocats n'ont rien fait pour le disculper ni pour le sauver.

Quand, en 1996, après avoir essuyé le refus des cours régionales, Graham passe enfin devant une cour fédérale, celle-ci ne retient pas sa plainte. La raison en est simple : la preuve de son innocence aurait dû être présentée bien avant, en 1993. Chose impossible, puisqu'on ne lui a pas concédé l'opportunité d'une audience ! Au Texas, la vie d'un homme ne pèse rien face aux lourdeurs de l'Administration.

Selon Texas Defender Service, le cas de Gary Graham est malheureusement « des plus clairs et des plus significatifs » pour démontrer combien « le mythe des appels réparateurs » est faux, hypocrite, inutile et dérisoire.

Gary Graham, plus connu désormais sous le nom de

Shaka Sanfoka, a été exécuté le 22 juin 2000 au Texas par injection mortelle. Le porte-parole d'Amnesty International, Bianca Jagger, l'ex-femme de la star des Rolling Stones, l'accompagnait comme pour exprimer par sa seule présence le soutien d'une multitude internationale.

ODELL BARNES

Condamné à mort en 1989 pour le meurtre d'Helen Bass, sa maîtresse, Odell Barnes a toujours clamé son innocence. Malgré une enquête poursuivie des années après le procès et des faits qui discréditaient la première procédure, Odell Barnes a été exécuté le 1er mars 2000 par injection létale à Huntsville, au Texas.

Le 30 novembre 1989, à Wichita Falls, une petite ville du Texas, Sharon Mergerson a une vision d'horreur lorsqu'elle découvre sa belle-sœur, Helen Bass, une infirmière de quarante-deux ans, nue sur son lit, le visage enfoui dans les oreillers, morte au milieu d'un fouillis sans nom, une lampe de chevet cassée, la boîte à bijoux ouverte à côté d'un fusil. Pour la police, il ne fait nul doute que la femme a été battue, violée, poignardée deux fois puis assassinée d'une balle dans la tête.

Robert Brooks, un témoin, dit avoir vu Barnes dans les parages la nuit du crime. Barnes est un jeune Noir de vingt et un ans qui vient de sortir de prison. Il vit de petites combines et vend de la drogue. Helen Bass, une amie de sa mère, était sa maîtresse. Il a le profil idéal.

Le 1ᵉʳ décembre, il est arrêté. Les recherches de la police de Wichita Falls se concentrent uniquement sur lui, le récidiviste providentiel. La thèse de l'accusation se façonne sur les déclarations de Brooks, qui s'embrouille avec les heures.

Le procès commence en 1991. Selon l'habitude texane, la culpabilité de l'accusé est déjà établie avec certitude. Il ne suffit plus que d'énoncer des lapalissades. Les faits sont passés sous silence. Sans explications. Ils seront finalement mis en lumière en 1998 après la contre-enquête effectuée par deux avocats américains.

Les détectives taisent leurs trouvailles. De nombreuses empreintes non identifiées ont été prélevées sur le lieu du carnage, mais aucun des enquêteurs n'a pensé à vérifier celles des témoins à charge qui dénoncent Barnes. Brooks, quant à lui, dit avoir vu l'accusé la nuit du meurtre. Mais cela ne correspond pas à l'heure du crime. Le meurtre a eu lieu quatre-vingt-dix minutes après !

On a retrouvé du liquide séminal dans le vagin de la victime. Barnes reconnaît avoir eu une relation « consentie » avec son amie entre vingt-quatre et quarante-huit heures avant la mort de celle-ci. Le fait est confirmé par d'autres témoins. Mais l'avocat dédaigne ces détails importants pourtant en totale contradiction avec l'accusation.

Le procureur s'acharne sans pousser plus loin les investigations. Le jury condamne Barnes à la peine capitale.

Des années plus tard, la vérité finit par émerger. De nombreuses personnes jurent que les principaux témoins à charge ont confessé être les auteurs du crime. Des tests tout récents permettent de prouver et de justifier les allégations de Barnes. La faiblesse des investigations policières est soulignée. Il apparaît que les seules empreintes trouvées sur l'arme du crime venaient d'un des témoins qui avait incriminé Barnes. Enfin, on retrouve un accord écrit par le procureur de Wichita Falls offrant à un des témoins une libération surveillée s'il déposait contre Barnes.

Aucune de ces nouvelles preuves n'a incité les cours d'appel à revenir sur le jugement. Odell Barnes a été exécuté le 1er mars 2000 par injection létale, malgré l'intervention de Jacques Chirac et de Tony Blair auprès de George Bush père.

Site Internet (site exceptionnel, riche en informations et adresses)

www.justicedenied.org/odell.htm

INNOCENCE PROJECTS

À l'instigation d'individus comme David Protess ou de collectifs comme Centurion Ministries, Innocence Projects a créé à travers les États-Unis un réseau d'assistance aux prisonniers innocents des crimes dont ils sont accusés, afin de les représenter, de les soutenir, de mener les investigations nécessaires et de les disculper.

Pour contacter ou prendre connaissance des relais, des universités et autres associations qui ont rejoint ce mouvement, une adresse :

Site Internet
http ://truthinjustice.org/ips.htm

DEADMAN

Un homme mort vous parle

Deadman Talking est le titre d'une série de rubriques écrites par Dean Carter, plus communément surnommé Deadman. Enfermé dans le couloir de la mort de la prison de San Quentin depuis dix ans, il rédige des chroniques sur les conditions de vie des condamnés, sur la justice et la peine capitale. Bien qu'il nie farouchement avoir commis les crimes dont il est accusé, il n'a pas le droit de parler de son cas dans cette chronique. Ce qu'il est, ce qu'il a fait ne concerne que lui. Sa façon d'exister à présent consiste à prendre la parole. À nous de l'entendre. L'intégralité de ces rubriques est en ligne sur un site Internet dont l'adresse se trouve à la fin du chapitre. Deadman nous a donné l'autorisation exceptionnelle d'en publier des extraits.

Rubrique 1

Présentation et motivations de Deadman.
Une des choses les plus difficiles ici est de suivre son but et de ne pas céder à la pression incroyable, due non seulement au système, mais surtout aux difficultés de survivre au jour le jour. Ici des gens abandonnent et se

151

suicident, d'autres perdent peu à peu la tête et finissent par prendre des médicaments. La prison veille à ce que chacun soit capable de tenir jour après jour, jusqu'à son exécution, et la drogue aide à atteindre cet objectif. Je doute sérieusement qu'il soit possible d'expliquer correctement à quoi cela ressemble. Le mieux que je puisse faire est de parler de quelques expériences et de mes observations. Je ne suis pas un porte-parole et je ne veux pas l'être.

Rubrique 2

Quelqu'un m'a demandé de définir ce que j'entends par « normal ». Pour moi un type normal est quelqu'un qui veut juste être tranquille, s'occuper de ses affaires, sans s'inquiéter d'être poignardé dès qu'il tourne le dos.

Suivent une description de la prison de San Quentin illustrée par une photo, des explications sur la façon dont les prisonniers sont transportés des prisons centrales, où ils ont été détenus durant leur procès, jusqu'au couloir de la mort et la traversée des différents bâtiments. Le local « Réception & Libération » pour enregistrer son entrée dans la prison. Le centre d'évaluation puis les trois parties réservées aux condamnés à mort. La section nord, où est située la chambre à gaz. Le bloc est, avec ses hangars qui ressemblent à de vieux ballons Zeppelin. La grande caverne où se trouve un bloc de cinq étages de cellules. D'autres cellules. Les fouilles puis l'installation.

Ils vous désignent une cellule. Il y a un condamné par cellule. Il y a trois niveaux de cellules par étage. Deux gardiens vous escortent. Une fois arrivé, vous restez debout en face de la porte et le garde crie : « Ouvrez la cellule ! » Il y a soudain un « whoosh » lorsque la porte de votre cellule s'ouvre. Cela ressemble aux freins d'un gros semi-remorque car les portes sont ouvertes et fermées à l'air comprimé.

Description de la cellule.

Rubrique 3

Assignation du lieu géographique et dénomination de la catégorie du prisonnier. Liste des produits fournis par la prison. Composition des repas.

Au déjeuner, ils vous passent un sac contenant du pain et une sorte de viande mystérieuse. Je ne sais pas ce que c'est que cette viande, je ne l'ai jamais goûtée. Je ne sais pas si beaucoup d'autres en mangent. Vous recevez aussi un fruit dans le sachet. Quelquefois un peu de beurre de cacahuète. [...]

Les choses les plus frappantes dans le bloc est sont :
— le manque d'éclairage ;
— le brouhaha constant : plus de cinq cents hommes vivent dans un espace relativement restreint ;
— l'odeur. La prison a une odeur distincte que vous n'oubliez jamais. Les odeurs prépondérantes varient et dépendent de l'heure du jour, mais il y a aussi cette odeur profonde qui est toujours là.

Rubrique 4

Description des lieux.

En hiver il fait si froid dans les cellules que vous pouvez voir votre haleine.

Je suis enfermé depuis plus de dix ans. Presque la moitié de ce temps a été passé à attendre qu'un avocat veuille s'intéresser à mon cas. J'ai attendu cinq ans avant qu'un avocat s'occupe de mes appels. Ma situation n'est pas rare. Un mec que je connais a passé plus de quatre ans à attendre et il n'y a pas le moindre signe pour que cela change bientôt.

Rubrique 5

La vie dans le bloc est. Les rites. Les habitudes, mode d'emploi.
Il y a quatre cours pour les condamnés à mort.

À une époque, je participais aux activités de la cour, mais j'ai cessé de le faire. Cela dégénérait trop et j'estimais pouvoir mieux utiliser mon temps dans ma cellule. Il y a quelques mecs ici qui pensent comme moi et qui ne vont plus dans la cour... D'abord, vous ne savez jamais quand une bagarre va éclater, quand les gardiens vont commencer à tirer. Et même s'ils ne tirent pas sur vous, comme vous êtes dans un espace restreint entouré de béton, il y a toujours le risque que vous soyez blessé par une balle qui a ricoché.

La première fois que je suis allé dans la cour, j'ai critiqué la mauvaise finition du béton. Un des gars m'a regardé et a ricané : « C'est pas mal fini, c'est mal visé... » Il s'avère que les éclats que j'avais remarqués n'étaient pas des défauts dans le mur mais des balles tirées dans la cour pendant les altercations.

Chaque jour quand je me rendais dans la cour, je finissais par m'appuyer contre le mur. De cette manière, je pouvais observer ce qui se passait autour de moi. Au bout des terrains qui servent de cours pour les détenus du couloir de la mort se trouve la chambre à gaz. De la chambre à gaz dépasse une cheminée verte, énorme, qui permet d'évacuer le gaz empoisonné après une exécution. Je me surprenais à fixer cette cheminée chaque jour, me demandant si ce tuyau allait évacuer un jour le gaz utilisé pour mon exécution. Peu de temps après, j'ai décidé que je ne voulais vraiment plus aller dans la cour.

Rubrique 6

La vie, le courrier, les visites, les repas au quotidien et les fêtes.

Rubrique 7

L'amitié.

Pour ce qui est des amis dans le couloir de la mort, je n'en ai pas. J'ai tendance à beaucoup intérioriser. Dans le passé, il y avait deux gars que je considérais comme mes amis. L'un d'entre eux a été poignardé à mort par un autre détenu ; j'ai perdu le contact avec l'autre. Ici, il y a des gars qui développent des amitiés mais je n'ai aucun désir d'en faire autant. [...]

L'idée de me lier d'amitié avec quelqu'un qui un jour pourra être conduit à la chambre à gaz ne me séduit guère. C'est plus facile de garder une certaine distance avec tout le monde.

Rubrique 8

Commentaires sur le procès d'un certain OJ. Réflexions sur les hommes coupables que les flics ont piégés, et sur les innocents dont les flics ont falsifié ou planqué les preuves.

Dans un procès aboutissant à la peine de mort, il y a en vérité deux procès. Le premier détermine la culpabilité ou l'innocence de la personne. Le second, ensuite, si vous êtes condamné, décidera si vous devez subir la peine capitale ou la prison à vie sans remise de peine.

La Cour suprême de Californie adopte une drôle de position pour accorder ou non la révision des jugements. C'est ce qu'elle appelle une « erreur de droit ». S'il y a eu des erreurs pendant le procès, cette méthode est utilisée. Au lieu de renvoyer l'affaire vers une cour supérieure afin que le jury tranche en faveur de la culpabilité ou de l'innocence de la personne, la Cour suprême se charge de décider et déclare invariablement que l'erreur n'était pas si importante et que le jury aurait de toute manière condamné la personne...

Ai-je manqué la réunion pendant laquelle les règles ont été changées ? Suis-je toujours dans le pays qui a instauré la présomption d'innocence ?

Rubrique 9

Une autre année mord la poussière. En prison, la période des vacances est toujours le pire moment et c'est encore plus difficile ici, dans le couloir de la mort. Personnellement, je fais de mon mieux pour l'ignorer, d'autres gars n'y arrivent pas. Ils ont trouvé un mec pendu dans sa cellule. Je ne sais pas si c'était un condamné ou un simple prisonnier mis en isolement, mais il semble que cela arrive plus souvent pendant la période des vacances.

Il y a une nouvelle exécution prévue ici le 26 janvier... L'accusé a choisi l'injection et il sera le premier dans l'État à être exécuté de cette manière. On nous donne le choix entre le gaz cyanide et l'injection, et lorsqu'on me demande lequel je choisirai si je suis exécuté, je n'ai jamais de réponse.

Tuer quelqu'un par injection est devenu quelque chose de trop propre et de trop clinique. Il en résulte qu'il est plus facile pour les jurys de prononcer la peine de mort.

Suivent des pensées sur l'exécution et des constats sur l'économie des régions qui profitent des pénitenciers.

Rubrique 10

Cela doit être une année électorale : récemment des politiciens se sont rassemblés devant les grilles de San Quentin pour promettre à la presse que, s'ils sont élus, ils accéléreront la procédure des exécutions, et ils prendront des mesures draconiennes contre la criminalité... Ils ont une telle envie d'être élus qu'ils sont prêts à échanger des vies humaines contre des bulletins de vote.

Il est plus facile d'obtenir des votes en jouant sur la peur, la haine et la colère des gens, plutôt que d'essayer de trouver des solutions sociales réelles et pratiques.

Rubrique 11

Le choix d'un jury.

Rubrique 12

Ce qui se passe dans un tribunal. Et pendant le choix d'un jury (suite).

L'une des choses les plus intéressantes que j'ai comprises pendant la procédure du choix du jury concerne les opposants à l'avortement : ils sont curieusement les plus fervents supporters de la peine de mort. Cela m'a paru hypocrite. Ils disent qu'en avortant on tue un être humain. Mais d'une façon aussi passionnée, ils affirment sur un ton aussi rigide qu'il est bon d'exécuter une personne...

Rubrique 13

Toujours à propos du tribunal.

À cause de la durée des procès (de quatre à six semaines pour la phase de recherche de culpabilité et quelques semaines pour la phase de condamnation), la plupart des jeunes (ceux qui vont au lycée, ceux qui ont un job) ne peuvent pas s'absenter pour faire partie d'un jury. La plupart des jurés qui acceptent sont des gens plus âgés, souvent retraités, qui ont des opinions très fortes et bien arrêtées.

Rubrique 14

Au tribunal.

Quand une personne est exécutée et que, plus tard, l'innocence de cette personne est prouvée, est-ce que les responsables de cet événement sont poursuivis, exécutés ou envoyés en prison pour meurtre ?

Rubrique 15

Toujours au tribunal. À propos des groupes de droits des victimes, fervents défenseurs de la peine capitale (ne pas confondre avec l'Association des familles des victimes unies pour une réconciliation – MVFR).

Il est bizarre que ces groupes n'aient jamais apporté le moindre soutien à ces pauvres gens innocents qui ont perdu une bonne partie de leur vie pour un acte qu'ils n'avaient pas commis. Ainsi cet homme condamné pour

viol, par le tribunal de San Diego, en Californie, et incarcéré pendant dix ans. Il a été disculpé et libéré. Il a
déménagé dans une autre partie du pays. Comme il ne
trouvait pas de travail à cause de ses antécédents, il a
expliqué que les groupes de droits des victimes en étaient
responsables à cause de leur travail de sape. [...] Ces
groupes ne parlent jamais des familles et des amis des
gens exécutés.

En Californie, l'organisation Death Penalty Focus, qui
lutte contre la peine de mort, mérite votre soutien.

Rubrique 16

Les recommandations en état d'arrestation.
Comment vivre en attente du procès dans les prisons régionales.
Dans une prison régionale, s'il y a des gens qui sem-
blent s'intéresser intensément à vous ou à votre cas,
méfiez-vous. Certaines personnes sont à l'affût, à la
recherche d'une possibilité de sortir et trahiraient leur
propre mère pour y parvenir. Il semble qu'être un mouchard devienne une mode. Ces gens essayeront de vous
faire parler. Ensuite, ils iront chez le procureur et révé-
leront ce que vous leur avez dit. Ils offriront de témoigner contre vous au tribunal. Si le procureur accepte de
faire un marché avec eux... Habituellement, cela se passe
dans les cas les plus graves.

La police et les procureurs utilisent aussi leurs propres
mouchards. Ils s'arrangent pour qu'un mouchard soit
placé près de vous dans la prison et qu'il aille au tribunal
le même jour que vous. Ces mouchards n'ont même pas
besoin de vous parler, ils restent près de vous quelque
temps, et ensuite, pourvus des informations nécessaires

dictées à l'avance, ils vont témoigner... À la barre des témoins, sous serment, ils raconteront ce que vous êtes censé leur avoir dit de votre cas, alors qu'en réalité vous ne leur avez jamais adressé la parole...

Rubrique 17

Le système judiciaire. La préparation d'un procès.

J'ai entendu dire que l'accusation « engageait » des experts en sciences juridiques diverses non pour les utiliser mais pour empêcher la défense de les employer pendant le procès.

Réflexions sur la présomption d'innocence, fondement principal du système judiciaire américain, et modèle de tant d'autres dans le monde. Mode d'emploi des détectives, des procureurs ainsi que des avocats.

Le procureur possède des ressources illimitées. Il dispose de centaines d'enquêteurs qui ont accès à tous les laboratoires scientifiques, d'experts juridiques et d'une équipe d'avocats pour travailler sur les affaires...

En face, le prévenu a un avocat nommé par le tribunal qui a certainement beaucoup d'autres dossiers en cours. Le défenseur doit aller au tribunal afin d'obtenir de l'argent pour les frais d'investigation, les recherches ou autres analyses d'experts scientifiques et de vérifier les preuves fournies par l'accusation. Le juge a le droit d'accorder ou de ne pas accorder d'argent à la défense. Lorsque votre avocat dépense déjà une partie de son énergie dans ces démarches, il a « volé le temps » qu'il aurait pu passer sur votre dossier.

Le problème avec les avocats commis d'office est que l'on découvre s'ils sont bons ou mauvais juste au dernier moment, quand il est trop tard pour en changer ! Il y a un avocat célèbre dont sept anciens clients se trouvent ici. [...] Il est si manifestement incompétent que le tribunal lui-même ne veut plus lui assigner d'autres cas relevant de la peine de mort.

Un procureur avait la réputation d'arrêter les témoins de la défense à la sortie de la salle d'audience, à la fin de leur témoignage. Quand il opérait, il prenait bien soin que les autres témoins voient les arrestations. Ainsi après deux ou trois mises en scène de ce genre, plus personne ne voulait témoigner... La Cour suprême de Californie l'a réprimandé mais il s'en est vanté partout, il en était fier et blaguait sur ce sujet. C'est triste à dire mais ce gars a été promu au bureau des procureurs pour superviser et entraîner de nouveaux magistrats.

Rubrique 18

Propos sur la violence et les fusillades dans les écoles à travers les États-Unis.

À la suite de l'histoire du gosse de l'Oregon, il y a eu le reportage d'un journaliste qui insistait lourdement sur le fait que l'enfant en question n'était pas passible de la peine de mort... Il y a eu des discussions sur la façon dont les politiciens pourraient faire changer les lois et rendre les enfants passibles de la peine capitale.

Aux États-Unis, il semblerait que, parallèlement au nombre d'exécutions, la violence ait augmenté...

Deadman évoque les shows « d'images authentiques » de la télévision. Les méthodes musclées employées par les adultes (le gouvernement, la police), qui n'hésitent pas à utiliser le meurtre pour maîtriser les suspects ou résoudre les problèmes et qui montrent « l'exemple » aux enfants.

Vient ensuite une réflexion à propos des jurys qui déterminent si un homme est suffisamment sain d'esprit pour être exécuté.

Selon les procureurs, ce gars est devenu fou ici, en attendant l'exécution. Ils ne veulent pas admettre que ce gars était fou avant d'arriver dans le couloir de la mort. Ce constat amène la question suivante : comment une personne démente peut-elle être déclarée coupable et condamnée à mort ? Ils veulent rester à l'écart de cette polémique.

J'aimerais parler de Tom (Thompson). Le tribunal du 9ᵉ circuit (le régional fédéral, celui des appels californiens) lui a accordé un sursis alors qu'il avait déjà pris son dernier repas et fait ses adieux à sa famille. On voulait de nouveau étudier son cas. Ce gars est probablement innocent. Mais la Cour suprême a rejeté l'appel. [...] Tout simplement pour une question d'ego. La Cour suprême n'aime pas le tribunal du 9ᵉ circuit, donc elle a saisi l'occasion de lui montrer qui a le plus de pouvoir...

Je suppose qu'aussi longtemps qu'ils mettront en avant leur ego fragile, le fait qu'un homme innocent puisse être tué leur sera égal. Alors qui est le meurtrier ?

Rubrique 19

Tom a été exécuté alors que « depuis quinze ans l'État avait la preuve de son innocence ». Ses avocats ont découvert cette preuve et ils ont essayé d'obtenir un nouveau procès, mais l'avocat général et le gouverneur ont prétendu tous deux que c'était une tactique pour gagner du temps. [...] Dommage qu'un procureur puisse décider quelle preuve peut être examinée...

Suit un commentaire sur « le rapport Starr », Clinton et Lewinski.

Rubrique 20

Cette chronique est consacrée à Amnesty International.

Rubrique 21

L'exécution de Jaturun Siripongs, dit Jay, a été ajournée au dernier moment. Une occasion de réfléchir sur les motivations des gouverneurs de l'État et de reparler de Tom...

Le 14 novembre, il y a eu une conférence à Chicago avec trente anciens détenus (hommes et femmes) qui avaient été injustement déclarés coupables et condamnés à mort. Depuis 1976 et le rétablissement de la peine de mort aux États-Unis, on a remis en liberté soixante-quinze hommes et femmes condamnés et innocentés. [...]

Mais bien plus que cette réunion, ce qui m'intéresse, c'est de regarder certaines statistiques. Une personne sur six exécutées serait innocente. Aussi horrible que cela puisse paraître, ce chiffre est trompeur. Même si c'est déjà assez moche, le nombre doit être encore plus élevé. En effet, il faut savoir qu'il n'y a plus de nouvelle enquête quand une personne est exécutée.

Prenons Tom. Des preuves abondantes de son innocence auraient pu permettre de recommencer les auditions et les investigations, mais une fois Tom exécuté, tout s'est arrêté. Il en va de même pour d'autres affaires dans d'autres États. Malgré de nombreuses preuves, les tribunaux n'ont accordé ni le temps ni les moyens au prisonnier de les faire reconnaître.

Un homme exécuté, c'est une affaire close. Il n'y aura plus d'efforts à faire pour démonter que l'État a condamné un innocent. Il est plus sûr d'exécuter un innocent que de rechercher la vérité.

Rubrique 22

Au sujet de l'argent et des prisons, je voudrais parler d'un article paru dans le *San Francisco Chronicle*, le 14 juin 1999, qui explique comment la Californie et MCI Worldcom surtaxent les appels en PCV des prisonniers à leur famille. L'État et MCI amassent ainsi une somme d'argent obscène : 16 millions de dollars en 1998 pour la Californie seulement. De fait, ils empêchent les détenus de maintenir une relation solide avec leur famille et leurs proches. Cela accroît la probabilité de récidive chez les prisonniers remis en liberté... Si les détenus étaient capables de rester hors de prison, l'industrie pénitentiaire souffrirait et perdrait de l'argent.

Comme je l'ai déjà dit, on fait tout pour isoler le prisonnier et entraver ses contacts avec le monde extérieur... Dans cette conjoncture, une fois hors de prison, le détenu est poussé à replonger, à commettre un autre crime. C'est un cercle vicieux, qui entraîne des sentences et des peines plus lourdes... L'industrie pénitentiaire devient plus forte et la population carcérale plus nombreuse.

Rubrique 23

Dans les cinq dernières années, des articles stipulaient que certains hommes avaient passé quinze ou vingt ans en prison, ou dans le couloir de la mort, avant que leur innocence ne soit prouvée... Parmi ces hommes, plusieurs ont obtenu un ajournement juste quelques minutes avant leur exécution...

Tous ceux qui soutiennent la peine de mort ont trouvé une solution afin que ce détail irritant n'intervienne plus. Ils se sont occupés de réduire le temps dont le prisonnier a besoin pour aller en appel. Ces gens ont également réussi à diminuer les ressources dont disposent les détenus du couloir de la mort pour se défendre. Dans la plupart des cas, les hommes ont besoin de quinze ans pour prouver leur innocence. Or les partisans de la peine capitale sont parvenus à raccourcir le temps d'appel à dix ans. C'est leur manière de résoudre le problème de la condamnation à mort et de l'exécution d'innocents. Certaines personnes confondent leur propre programme avec la vraie justice. Ce serait risible s'il ne s'agissait pas d'une question de vie ou de mort. [...]

En février dernier (1999), il y a eu trois meurtres au Yosemite National Park. Les familles des victimes, des femmes très riches, ont fait pression pour hâter l'enquête. Les médias ont amplifié un tollé. Enfin, avançant quelques délits mineurs, le FBI mit deux petits délinquants en prison, le temps de fournir (et de monter) les preuves contre eux, car ils représentaient « le suspect idéal »... Tout allait bien jusqu'au jour où il y eut un nouveau meurtre. On identifia la voiture et on retrouva son propriétaire, qui avoua le dernier homicide... et les crimes précédents.

Rubrique 24

Si vous ne faites pas attention, les prisons en Amérique sont des endroits où on vous dérobera une partie de votre humanité pendant votre séjour... Les pénitenciers ont tendance à détruire ce qui est bon dans la personnalité et à nourrir les penchants négatifs et les tendances destructrices.

Dès le pénitencier régional, vous commencez à vous endurcir, à développer une indifférence à l'égard des autres et à vous concentrer sur le fait de survivre. La compassion et la gentillesse sont souvent perçues comme une faiblesse et les autres condamnés qui les détectent en vous peuvent les exploiter. Dans ce sens, on meurt à petit feu.

Pendant leur emprisonnement, les gens ne reçoivent pas l'aide dont ils ont besoin pour mener une vie productrice une fois libérés. À la sortie, ils sont pires que lorsqu'ils sont entrés. Est-ce que l'on s'éteint à petit feu dans le couloir de la mort, me demande-t-on ? Cela dépend du caractère de chacun. Il y a des parties qui meurent que vous ne pouvez pas contrôler. Le temps passant, vos souvenirs d'une vie à l'extérieur se dissipent ou disparaissent... Pour certains, les relations avec la famille et les êtres chers s'amenuisent, donc cette partie d'eux-mêmes meurt aussi. Vos espoirs d'être capable de gagner un nouveau procès et de surmonter ce que vous devez affronter s'évanouissent. C'est encore un peu de vous qui est atteint. Mais je le répète, cela dépend du caractère de chacun. Je vois des hommes ici qui ont toutes les raisons de perdre ce qui les rend convenables mais qui, envers et contre tout, conservent leur humanité et leur compassion pour autrui. Ils n'abandonneront jamais ce qui est bien en eux. Mais il y a sûrement autant de réponses que de gens enfermés derrière les barreaux.

© **Deadman Talking**

Les écrits de Deadman ne peuvent être en aucun cas reproduits ou utilisés, même partiellement, sans son autorisation.

Adresse du prisonnier

Dean Carter
P.O. Box C-97919 5E79
San Quentin Prison
San Quentin, CA 94974
USA

Site Internet et comité de soutien

Deadman Talking
www.knoware.nl/users/annegr/deadman/talking.htm

GARY GAUGER

À quarante et un ans, Gary Gauger est inculpé pour le crime de ses deux parents, des fermiers septuagénaires de l'Illinois, sur la base d'aveux que lui a extorqués de force la police. Condamné à mort en décembre 1994, relaxé en 1996, il est « totalement » innocenté lorsque les coupables sont arrêtés et confondus, en 1997.

Le 8 avril 1993 est un jour qui sera toujours synonyme de cauchemar pour Gary Gauger. Lorsque ce matin-là il rentre à la ferme de ses parents, des personnes âgées de soixante-quatorze et soixante-dix ans, il est pétrifié en trouvant le corps inanimé de son père, Morris. Bien qu'il soit trop tard pour le sauver, il appelle le 911, les urgences médicales et la police. Celle-ci découvre également le corps de Ruth Gauger, sa mère, dans une caravane, un peu plus loin dans le jardin.

En détention préventive, après vingt et une heures d'interrogatoire, Gary craque et passe aux aveux, influencé par les inspecteurs qui lui soufflent qu'il a commis le crime au cours d'une crise provoquée par l'alcool. À l'issue de son procès, le 11 janvier 1994, Gary est condamné à mort.

Neuf mois plus tard, l'affaire est renvoyée en appel, la peine de mort est commuée en une peine de prison à vie. Le 8 mars 1996, la cour d'appel du second district de l'Illinois demande un nouveau procès, arguant que le premier juge a fait une erreur en ne tenant pas compte d'une motion qui remettait en cause la prétendue confession. La cour atteste alors que celle-ci est le fruit d'une arrestation sans fondement et qu'elle n'aurait pas dû être prise en compte par le tribunal. Ces aveux éliminés, il n'existe plus aucune autre preuve, aucun indice qui relie l'accusé aux crimes ; les charges sont abandonnées et Gary Gauger se retrouve libre.

Hors du couloir de la mort, il n'en est pas moins prisonnier, pris en otage par la malveillance d'un magistrat, un fonctionnaire de l'État, qui continue à évoquer publiquement la culpabilité de l'ex-détenu. Ce n'est qu'en juin 1997 que Gary Gauger est lavé de tout soupçon, lorsque le grand jury fédéral de Milwaukee annonce la capture de deux scélérats, les auteurs de trente-quatre actes de brigandage, dont le meurtre des Gauger.

De retour dans sa ferme, Gauger compte désormais parmi les treize rescapés des couloirs de la mort de l'Illinois. Dans le même temps, douze individus ont été exécutés dans cet État. Gauger fait partie de ces hommes dont l'innocence manifeste et la condamnation trop expéditive ont ébranlé les convictions du gouverneur de l'État, le conservateur Ryan, qui a décidé d'organiser un moratoire sur la peine capitale.

LARRY GRIFFIN

En octobre 2000, l'Equal Justice, aux États-Unis, constate dans un rapport que le système américain de la peine de mort a pris la vie de seize hommes « probablement » innocents.

Le 25 octobre de la même année, *The Boston Globe* reprend l'information. À titre d'exemple, le quotidien cite l'histoire de Larry Griffin, exécuté dans l'État du Missouri en 1995 sur la foi d'un témoin oculaire, Bobby Fitzgerald, un type au lourd passé criminel.

Un cas désormais trop classique. Rien ne relie l'accusé au crime mais il existe un motif : la victime, un trafiquant de drogue, était le meurtrier présumé de son frère. Un avocat sans expérience se montre incapable de démonter ce scénario simpliste, et le verdict tombe.

Quelques années plus tard, Fitzgerald se rétracte. Trois autres hommes sont reconnus coupables mais Larry Griffin n'a pas eu l'opportunité de voir le destin tourner en sa faveur. Il avait déjà été exécuté.

Brian K. Baldwin, Cornelius Singleton, Freddie Lee Wright, Thomas M. Thompson, James Adams, Willie Darden, Jesse Tafero, Girvies Davis, Roy Roberts, Odell

Barnes, Robert N. Drew, Gary Graham, Richard W. Jones, Franck B. Mc Farland, Roger K. Coleman sont les autres hommes condamnés « probablement » innocents cités dans le rapport. Il aurait été souhaitable que leur nombre s'arrête là...

WILLIAM HEIRENS

Il y a un peu plus d'un demi-siècle, un homme s'est retrouvé face à un étrange dilemme pour sauver sa vie à n'importe quel prix...

En 1946, William Heirens, un étudiant de dix-sept ans, fréquente l'université de Chicago quand, soudain, comme tous les personnages malheureux de ce livre, sa vie tourne au cauchemar. Il se voit inculpé pour trois meurtres commis un an auparavant.

Au terme de six jours d'interrogatoire éprouvant, les autorités judiciaires lui proposent un marché : soit il s'obstine à clamer son innocence et est passible de la peine de mort, soit il avoue et a l'assurance de rester en vie... Alors que la presse de l'Illinois enflamme l'opinion publique, William Heirens pense certainement à George Junius Stinney, un garçon de quatorze ans exécuté en Caroline du Sud le 16 juin 1944. Conseillé par ses avocats, Heirens accepte donc la proposition. Le 6 septembre de la même année, il est condamné à trois peines consécutives de prison à perpétuité.

Un demi-siècle plus tard, toujours en prison, William

Heirens s'est distingué. Il a été le premier détenu de son État à obtenir un diplôme et grâce à lui, révèle Amnesty International, « le système des bibliothèques et celui de l'enseignement dans les prisons d'État ont été grandement améliorés ». À la fois aumônier et peintre aquarelliste, William Heirens a toujours montré d'heureuses dispositions de caractère et une exceptionnelle faculté à positiver dans de telles circonstances. Difficile d'avoir encore un doute quant à sa culpabilité. Quoi qu'il en soit... À l'instar d'un Philippe Maurice [1] – le dernier Français condamné à mort et qui fut gracié par François Mitterrand –, qui a magnifiquement réussi sa réinsertion, s'il fait réfléchir sur la faculté de réadaptation des mineurs délinquants, on peut s'interroger sur l'identité de l'individu qui répond à l'appellation d'être humain et qui a été à l'origine de ce marché, de celui qui, par son entremise, a fait qu'un homme joue sa vie en échange de toute une existence en prison...

---

1. Philippe Maurice, *De la haine à la vie*, Le Cherche Midi Éditeur, 2001.

GREGORY WILHOIT

Accusé du meurtre de sa femme, dont il était séparé, Gregory Wilhoit est condamné à mort en 1987 et libéré en 1993. Pour faire reconnaître son innocence, Gregory Wilhoit dut attendre six ans, deux procès et un appel.

Premier procès. Premier acte. À l'instigation de l'accusation, une expertise démontre que les marques de morsures découvertes sur le corps de la victime correspondent aux dents de l'accusé.

Cour d'Oklahoma. Deuxième acte. La cour enregistre la note concernant l'état de l'avocat de la défense pendant le procès en première instance et son laxisme face au test qui méritait contestation.

Deuxième procès. Troisième acte. Onze experts démontent la non-crédibilité de la preuve.

Après sept ans d'épreuves, Wilhoit est acquitté.

SABRINA BUTLER

Accusée d'avoir tué son bébé de neuf mois et condamnée à mort en 1990, Sabrina Butler quitte le couloir de la mort en 1995.

Tout au long de son procès en première instance, la jeune femme ne parvient pas à convaincre le jury. Désemparée, elle ne cesse pourtant de répéter qu'elle a essayé de ranimer le nourrisson, qui avait arrêté de respirer, avant de le transporter à l'hôpital...

Lors d'une procédure ultérieure, un voisin vient corroborer ses affirmations. Des tests sont enfin effectués. Après l'exhumation du corps de l'enfant, l'autopsie révèle qu'un dysfonctionnement rénal a provoqué la mort du petit. Sabrina Butler est innocentée.

JOSEPH FRANK CANNON

Condamné à mort en 1980 et de nouveau en 1982 pour le meurtre d'une jeune femme blanche qu'il avait commis à l'âge de dix-sept ans dans un état second, Joseph Frank Cannon est exécuté le 22 avril 1998 au Texas.

Lors de ses deux procès consécutifs, il plaide non coupable en invoquant, comme le précise Amnesty International, la démence. C'est en effet sous l'influence de l'alcool et de la drogue qu'il a assassiné Anne Walsh, la sœur de l'ami qui l'hébergeait. La première condamnation à mort annulée, il s'appuie sur la même défense. Encore une fois non informé de son enfance malheureuse, d'un accident de voiture qui lui a causé de grands troubles cérébraux, des sévices sexuels commis par le quatrième mari de sa mère et par son grand-père, de ses tentatives de suicide aussi, le jury texan le condamne de nouveau à mort. Amnesty International note : « Le degré exceptionnel de perversion et d'oppression qui a marqué son enfance est tel qu'il s'est épanoui bien davantage dans le couloir de la mort que dans son environnement familial. »

Comme on l'a vu et comme le souligne encore Amnesty International, Joseph Frank Cannon est « un exemple type des mineurs condamnés à mort au Texas » et dans tous les États-Unis.

Source

États-Unis : des mineurs dans le « couloir de la mort », Éditions francophones d'Amnesty International (EFAI), 1991.

KARLA FAYE TUCKER

Condamnée en 1983 pour deux meurtres d'une rare cruauté, après quinze ans passés dans le couloir de la mort et une conversion spirituelle exceptionnelle, Karla Faye Tucker a été la première femme exécutée au Texas depuis Chipita Rodriguez, pendue en 1863 au moment de la guerre de Sécession, et la deuxième dans le pays depuis 1976, date à laquelle la Cour suprême a rétabli la peine de mort aux États-Unis.

Certains êtres sont voués à des destins si intenses, des amours si fécondes qu'ils ont le sentiment de vivre plusieurs existences en une. À l'inverse, d'autres voient leur parcours déterminé par un seul événement qui coupe leur vie en deux : l'avant et l'après. Ce fut le cas de Karla Faye Tucker, une jeune femme blanche d'origine texane. Pour elle, la destinée ne s'est jouée qu'en une seule partition : une nuit de juin 1983, la nuit de sa descente en enfer où, avec Daniel Garrett, un de ses compagnons de dérive, elle participe au meurtre de Jerry Lynn Dean et Deborah Thornton.

Pour Karla, ce n'est d'abord qu'une soirée de plus.

Depuis qu'elle a atteint la puberté, sa mère n'a jamais été avare de conseils pour le moins douteux. Lors d'un entretien avec Larry King, le célèbre journaliste de CNN, à quelques jours de son exécution prévue pour le 3 février 1998, Karla Faye Tucker avoue que sa mère l'avait encouragée, quand elle était adolescente, à devenir prostituée. L'absence de père avait achevé de compromettre son éducation. Consommatrice de drogue dès l'école, elle ne rêvait que de rencontrer et d'impressionner « les durs-des-durs ».

En 1983, la jeunesse américaine ne vit plus de musique country et de l'eau fraîche des grands espaces. Le hard rock et le mouvement punk sont passés par là. La violence est devenue dérisoire. La férocité, une mise en scène. *Born to be Wild*, une chanson de plus. Née pour être sauvage, la nouvelle génération des années 1980 engendre trop souvent des âmes fragilisées par leurs propres extrêmes. Au cinéma, *Apocalypse Now*, *Massacre à la tronçonneuse*, *Voyage au bout de l'enfer* se disputent la meilleure place au box-office. Au collège, les jeunes crient *No Future* pour faire écho à Richard Hell, un poète new-yorkais branché, dans la mouvance des Sex Pistols. La jolie brunette aux yeux noisette perd le sens de la réalité. Entre deux joints et deux prises d'héroïne, elle ne connaît plus ni les limites ni la frontière de l'acceptable.

En évoquant cette époque, Karla Tucker ajoute : « Élevée à devenir une moins-que-rien, étant donné les circonstances, il semblait inévitable que quelque chose de ce genre m'arrive... »

Alors que Garrett et Tucker se sont introduits dans la demeure de Jerry Dean dans le but d'y dérober des stupéfiants ou d'autres produits de substitution, Garrett se querelle avec son copain et le frappe à la tête avec un marteau. Puis les deux drogués s'attaquent à Deborah Thornton, le témoin de l'agression. L'enquête révélera que les corps des deux victimes ont reçu plus de vingt blessures...

À son procès, Tucker reconnaît les faits et est condamnée à mort. Ayant connu le même verdict, Garrett est exécuté dès 1993.

Derrière les barreaux, dans l'incapacité de trouver un sens à « ceci », Karla F. Tucker emprunte une Bible. Peu de temps après sa lecture, elle se tourne vers la religion. Les grands pécheurs sont souvent de grands mystiques qui s'ignorent ; ils comprennent Dieu parce qu'ils ont vécu. Ils aspirent à la douceur de la Rédemption car ils ont connu les affres des ténèbres. Assoiffés de pureté, ils se souviennent de l'insécurité et du désespoir dans lesquels la misère morale les maintenait. Les drogués, particulièrement les héroïnomanes, ont souvent des visions, celles des entités qui les possèdent, et la sensation omniprésente de l'angoisse qui les étouffe et les rattrape, surtout en période de manque.

Trois mois après son incarcération, pour se libérer de la bestialité qui l'a conduite au paroxysme de la déchéance, pour chasser les images de folie de cette nuit meurtrière, sortir du néant, et s'extraire de la terrible lucidité que crée l'abstinence, Karla n'a soudain plus qu'un seul recours, celui de croire au-delà du possible et de se jeter dans l'espérance d'un monde meilleur. « À genoux, explique-t-elle, j'ai demandé à Dieu de me pardonner. »

Quatorze ans après, elle regarde en face la mort qui l'attend, plus que jamais convaincue que Dieu a un plan pour chacun. « Il y a un changement possible pour chaque damné. C'est prouvé, affirme-t-elle. Et je ne dis pas cela comme une excuse pour échapper à la peine capitale... » Son mari Dana Brown, un pasteur en charge d'une mission dans les pénitenciers, qui l'a épousée par procuration en 1995, certifie que sa conversion est authentique. Ayant réappris les véritables valeurs de la vie et la définition du mot dignité, elle ne se préoccupe que de l'aide qu'elle peut apporter aux autres prisonniers perdus, comme elle l'a été.

Malgré la médiatisation de son affaire, K.F. Tucker ne bénéficie d'aucun sursis. Son exécution par injection létale est maintenue et prévue le 3 février 1998. Sœur Helen Préjean, qui a raconté dans son livre *La Dernière Marche* sa mission d'écoute lors des derniers moments d'un condamné à mort, accompagne Karla. Reste, comme un testament ou une épitaphe, sa dernière lettre, envoyée à George W. Bush. Un recours qui demeurera sans réponse.

Sachant que certains détenus du couloir de la mort voient leur peine commuée en détention à vie, K.F. Tucker reconnaît qu'il est cependant impossible de minimiser la violence du crime qu'elle a commis. Prête à en payer le prix exigé par la loi, elle assume l'entière responsabilité d'un passé qui ne peut s'effacer.

Après avoir longtemps reporté la gravité de sa faute

sur sa mère, accusé les drogues et la société, désormais elle ne blâme plus personne pour ses erreurs. « Trois mois après mon emprisonnement, écrit-elle, Jésus est entré dans mon cœur ; à cet instant, le poids de la réalité s'est abattu sur moi. J'ai réalisé. Les larmes sont devenues une part de ma vie. » Consciente de la souffrance engendrée par sa folie, elle sait que le diable était en elle. « La nuit du meurtre, poursuit-elle, seul un monstre a pu faire ce que j'ai fait. »

Acceptant que l'on puisse décider de son exécution, elle demande que la peine capitale lui soit appliquée en raison de la violence de son crime et non en la considérant comme une menace pour la société. Depuis quatorze ans, se confesse-t-elle, elle marche sur le droit chemin, non parce qu'elle est en prison mais parce que Dieu attend cela d'elle. Elle ne sait pas si le public va considérer sa conversion comme un élément positif. Si on le lui permet, elle souhaite seulement aider à sauver des vies et s'offrir en exemple comme base de réflexion, comme moyen de dissuasion. « Ceci, ajoute-t-elle, est la seule réparation que je peux offrir. » Mais les Texans ne lui en offriront pas l'opportunité.

Le 3 février 1998, dans une aube blafarde, attachée, sanglée au lit métallique telle une vestale sacrifiée aux adeptes du châtiment capital, les deux bras perforés par une intraveineuse où l'on injecte goutte à goutte une dose de barbiturique, une dose de bromure de pancuronium pour enrayer la respiration, et une dose de chlorure de potassium pour provoquer l'arrêt cardiaque, Karla pense aux familles des victimes et supplie Dieu de leur apporter la paix. Dans un ultime sursaut, pressée d'être enfin délivrée et comme pour se donner du courage, elle murmure : « Dans un instant, je vais me retrouver en tête à tête avec Jésus. »

Sites Internet

www.geocities.com/CapitolHill/Senate/2903/
www.straightway.org/karla/karla.htm

GARY GILMORE

Condamné à mort en 1976 pour le meurtre de deux hommes, Gary Gilmore s'inscrit dans l'Histoire par son exécution, en 1977, qui a « inauguré » une nouvelle politique de la peine de mort aux États-Unis. Il n'y avait eu en effet aucune exécution dans l'Utah depuis 1967 et aucune autre perpétrée dans le pays depuis 1972. L'année 1976 reste donc dans les mémoires comme le renversement de la tendance abolitionniste. Quant à Gilmore, il s'est fait connaître également par son goût sordide de la mise en scène et de la publicité.

Cette histoire peu banale commence par une rupture. Nicole Baker se sépare de son petit ami, Gary Gilmore. Celui-ci, pour retenir son attention, trouve un des moyens les plus efficaces qu'on puisse imaginer : à deux nuits d'intervalle, il abat d'abord un pompiste, Max Jensen, puis Bennie Bushnell, le concierge d'un hôtel, forçant les deux hommes à s'étendre face contre terre, avant de presser la détente. Inutile d'ajouter qu'après ces exploits sa belle le regarde de nouveau.

Condamné à mort, le détenu fait encore parler de lui

car il tente par deux fois de se suicider, arguant que l'État tarde à faire son travail. La fascination du public américain atteint son comble quand la fiancée capricieuse essaie elle aussi de mettre fin à ses jours. Placée immédiatement dans un hôpital psychiatrique, Nicole n'est plus autorisée dès lors à revoir son ancien amant. Cependant ils continuent de communiquer par lettres.

Les journaux à sensations s'emparent de l'affaire. Puis tous les quotidiens, les magazines, les télévisions participent à la promotion de ce sinistre fait divers dont parle finalement le monde entier, ému de voir là une version postmoderne de *Roméo et Juliette*.

Le 17 janvier 1977 à 8 heures du matin, un escadron se prépare à fusiller Gary Gilmore. Nicole, invitée à être témoin de l'événement, est consignée dans sa chambre par les médecins. Après l'exécution, selon les vœux du condamné, ses cendres seront dispersées à Springville, sur une terre de l'État de l'Utah.

Depuis, plusieurs écrivains ont retracé sa vie, dont Norman Mailer, qui a écrit une biographie : *The Executioner's*.

CALVIN BURDINE

Calvin Jerold Burdine est condamné en 1984 à la peine capitale sous l'inculpation de vol et de meurtre, à l'issue d'un procès rendu tristement célèbre par la conduite de son avocat.

À trente ans au moment des faits, Calvin Burdine a déjà une longue vie de souffrances et d'humiliations derrière lui. Enfant adopté par un couple pour le moins déséquilibré, il a connu les privations, la malnutrition, les sévices physiques et les abus sexuels commis par le chef de famille. À quinze ans, il s'enfuit du foyer familial. Il mène alors une vie libre de toute entrave et marque une préférence pour les relations homosexuelles.

C'est ainsi qu'en 1983 il s'installe à Houston chez W. T. Wise, un homme plus âgé que lui. Mais celui-ci le maltraite et lui propose de se prostituer. De nouveau déçu, Calvin lève le camp. Sur ces entrefaites, il rencontre Doug McCreight. Ensemble, ils décident de quitter la région mais rendent une dernière visite à Wise afin de se faire restituer une somme d'argent empruntée.

Sur les lieux, rien ne se passe comme prévu et

McCreight assassine Wise. Arrêté et interrogé, Burdine reconnaît avoir pris de l'argent mais se défend de tout autre acte. Interrogé une nouvelle fois sans l'assistance d'un avocat, il aurait avoué avoir frappé lui aussi la victime. À son procès, il se rétracte et prétend que la police a inventé cette déclaration. Accusé de meurtre, Burdine risque la peine capitale.

Joe Frank Cannon, un avocat connu pour son homophobie, le défend comme un dilettante, sans évoquer aucune circonstance atténuante, une névrose post-traumatique causée par « les privations, les sévices corporels et sexuels qu'il avait subis toute son enfance ». Mieux ! Ainsi que le mentionnent le site Internet justicedenied.org et Amnesty International dans son rapport sur la peine capitale au Texas, Cannon s'est endormi pendant une partie importante du procès. Lorsque quelqu'un lui en fait la remarque, l'intéressé se justifie en disant qu'il a fermé les yeux pour mieux se concentrer sur la séance.

Burdine est condamné à mort. Depuis la première date de son exécution fixée en août 1987, il en a vu passer six autres. Son coaccusé, McCreight, souligne encore Amnesty International, pour avoir plaidé coupable « tout en refusant de témoigner aussi bien pour la défense que pour l'accusation, a depuis bénéficié d'une libération conditionnelle ».

Calvin Burdine n'est hélas ni le premier ni le dernier inculpé texan passible de la peine capitale à avoir été représenté par un défenseur atteint de « troubles du sommeil ». George McFarland, condamné à mort en 1992, fut défendu par un avocat qui s'est assoupi au cours du procès. « Interrogé sur la sieste de l'avocat, rapporte Amnesty International, le juge Doug Shaver, qui présidait les débats en première instance, a répondu : "La Constitution dit que chacun a droit à l'avocat de son choix. Elle ne dit pas que l'avocat doit rester éveillé." La cour d'appel pénale du Texas a confirmé la déclaration de culpabilité et la condamnation à mort de McFarland. Carl Johnson, exécuté au Texas le 19 septembre 1995, a lui aussi accusé Joe Cannon de s'être endormi alors qu'il assurait sa défense. »

Une façon de faire rimer laxisme avec cynisme.

Source

États-Unis : La peine capitale au Texas : un appareil judiciaire transformé en machine à tuer, Amnesty International, mars 1998 (réf. AMR 51/10/98).

ROBERT ANTHONY CARTER

Condamné le 10 mars 1982 à la peine capitale après une délibération du jury qui a duré dix minutes, exécuté au Texas le 18 mai 1998 pour un crime perpétré à l'âge de dix-sept ans, Robert Anthony Carter, un délinquant de couleur noire, arriéré mental de surcroît, rejoint la liste déjà trop longue des mineurs et des déficients cérébraux, des laissés-pour-compte que les autorités américaines sacrifient sur l'autel de leur « machine à tuer » sans se soucier de leur apporter les soins nécessaires.

Antécédents trop souvent classiques, une enfance placée sous le signe de la misère, rythmée par les corrections au cordon électrique que la mère et le beau-père infligent aux six enfants de la famille. Robert est blessé en différentes occasions. À cinq ans, il est « frappé sur le crâne au moyen d'une brique », une autre fois avec une assiette. À dix ans, avec une batte de base-ball qui se casse violemment sous l'impact du choc. N'ayant jamais été apparemment soigné, le garçon grandit en souffrant de lésions cérébrales graves dans l'indifférence d'une société que l'on pourrait accuser de non-assistance à personne en danger.

« En dépit de tous ces facteurs, stipule un document d'Amnesty International, il tente d'échapper à son milieu. Il travaille à plusieurs reprises et tous ses employeurs le décrivent comme obéissant, consciencieux, prêt à coopérer et digne de confiance. Jusqu'à son arrestation pour le meurtre de Sylvia Reyes, il aide une voisine faible et âgée, qui tient un snack-bar dans le quartier, en la raccompagnant chez elle tous les soirs avec la recette du jour (généralement de 500 à 1 000 dollars). »

Le 24 juin 1981, avec une bande de copains qui viennent de le recruter, Carter tente de dévaliser une station-service dans le sud-est de Houston. Sylvia Reyes est assassinée.

Placé à l'isolement pendant l'interrogatoire, puisqu'il a renoncé à l'assistance d'un avocat, Carter craque, finit par avouer et s'accuse en même temps d'un autre meurtre.

Au procès, deux avocats commis d'office accumulent les fautes professionnelles : aucun entretien préliminaire avec leur client, aucune enquête sérieuse, absence de recherche de témoins, aucune tentative pour confondre un témoin « imposteur », absence de dossier médical... Rien. Incompétence totale. Ils s'abstiennent d'invoquer les circonstances atténuantes, l'âge, l'arriération mentale, le caractère influençable voire servile de leur client, de remettre en question la validité de ses aveux ou, au moins, de convoquer tout simplement des témoins de moralité. Selon Amnesty International, ils terminent leur plaidoirie en demandant qu'on accorde la vie à Carter « bien qu'il ne mérite guère de considération » et concluent par cette phrase incroyable : « Quelle que soit votre décision, vous repartirez la conscience tranquille. » Le procureur, quant à lui, insiste sur le fait que, dans le cas de Carter, la perpétuité ne serait qu'une « tape sur les mains ».

Une condamnation à mort. Un recours déposé auprès de la Cour suprême des États-Unis. Une accumulation d'omissions justifiées par l'arbitraire. Forts de leur bon droit et confortés dans la certitude que Robert Carter « constituera probablement une menace pour la société... », les Texans lui administrent l'injection létale. Si l'on détaille le calendrier des exécutions au Texas cette année-là, on est frappé par leur nombre. Celle de Carter succède de quelques semaines seulement à celle de Joseph Cannon, un autre mineur inculpé en 1977 pour un crime commis sous l'influence de la drogue, condamné en 1982 et exécuté en 1998 après seize ans de couloir de la mort, sans que jamais personne ne se soit ému de son enfance perturbée (voir p. 176).

Avec la Somalie, les États-Unis est le seul pays à ne pas avoir ratifié la convention des Nations unies sur les droits des enfants, laquelle stipule l'interdiction de ce genre d'exécutions.

Mais revenons aux derniers moments de Robert. Il ne comprend pas ce qui l'attend. Il n'est même pas en mesure de le concevoir. Un témoin parle de son état de surexcitation provoqué par le dernier repas et le choix de ses ultimes vêtements. Sur une photo, la dernière avant qu'il ne soit sanglé sur la rituelle civière, dos au mur, Robert, tout de blanc vêtu, pose. Il sourit. Du bonheur de l'innocence.

Un document sur R.A. Carter

États-Unis : Robert Anthony Carter : un mineur délinquant doit être exécuté au Texas, éditions francophones d'Amnesty International (EFAI), avril 1998 (réf. AMR51/24/98).

Un document sur R.A. Carter et J. Cannon

États-Unis : des mineurs dans le « couloir de la mort », Éditions francophones d'Amnesty International (EFAI), 1991.

HENRY LEE LUCAS

Appréhendé en juin 1983 pour le meurtre d'une jeune femme commis au Texas en octobre 1979 – fait divers connu sous le nom de « l'affaire des chaussettes orange » –, Henry Lee Lucas est, malgré sa rétractation, condamné à mort sur la base d'aveux délirants. Le plus surprenant, c'est que Lucas est devenu une légende...

Lorsqu'il est interpellé en 1983, Lucas se voit immédiatement chargé de deux autres meurtres commis quatre ans plus tôt. Le lecteur pourrait être sceptique si le livre commençait par cette histoire, mais au stade où il se trouve il est possible que plus rien ne l'étonne. On arrête donc cet homme sur de simples soupçons.

Pour le crime de 1979, Lucas tente tout d'abord d'expliquer qu'au moment des faits il se trouvait en Floride. Au bout de quelques heures d'interrogatoire, épuisé, il finit par dire tout ce que l'on attend de lui, puis il se reprend, se ravise et se désavoue. Mais trop tard. Perdu pour perdu, Lucas, on l'imagine, décide donc de s'amuser avec les Texas Rangers, la police de l'État. Plus rien ne l'arrête. Il s'attribue ainsi la paternité de multiples meur-

tres non élucidés, la disparition de Jimmy Hoffa, un diri-
geant syndical, le suicide collectif de la secte dirigée par
Jim Jones en Guyane, au total quelques six cents homi-
cides en une dizaine d'années.

Lucas est condamné à mort pour meurtre et violences
sexuelles aggravées (cause indispensable pour décider de
la peine capitale), sans aucune preuve (même pas celle
du viol) et sans que rien ne le relie au crime des « chaussettes orange ».

Pendant deux ans, le ministère public enquête, rédige
le « Rapport Lucas » et en arrive à la conclusion que le
prévenu s'est moqué des autorités judiciaires, ce que per-
sistent à nier les Texas Rangers. Devant ce constat, le
ministère public n'intervient pas, persuadé, expliquera-t-il
plus tard, que la cour d'appel du Texas va annuler la
sentence. Mais il n'en est rien. Lucas reste ainsi enfermé
à l'Ellis Prison Unit, l'un des principaux pénitenciers du
Texas.

En 1998, le gouverneur de l'époque, un certain George
W. Bush, dans un acte de générosité aussi inhabituel que
démesuré, transforme le châtiment en peine de prison à
vie. Pour Lucas, cela ne provoque guère de changement.
Il continue de coudre à la machine des uniformes pour
les gardiens de la prison... Et Henry Lee Lucas meurt
de sa belle mort – d'un arrêt cardiaque –, dans son lit,
le 12 mars 2001. Narguant encore une fois la justice et
ses absurdités, il s'esquive en douceur, en riant certainement d'avoir si bien joué au chat et à la souris avec le
FBI. N'empêche, à ce prix-là, beaucoup ne feraient pas
preuve d'un tel humour !

Source

États-Unis : La peine capitale au Texas : Un appareil judiciaire transformé en machine à tuer, Amnesty International, mars 1998 (réf. AMR 51/10/98).

STAN FAULDER

Condamné en 1977 à la peine capitale par l'État du Texas sans avoir été informé des droits que lui conférait l'article 36 de la convention de Vienne, le Canadien Stan Faulder a été exécuté aux États-Unis le 10 décembre 1998, jour du 50ᵉ anniversaire de la Déclaration universelle des droits de l'homme. De toute évidence, il était innocent du crime dont on l'accusait.

Le récit de la vie de Stan Faulder pourrait être la meilleure dissuasion face aux mirages du rêve américain. Imaginez une immense campagne publicitaire des compagnies aériennes mondiales qui exhiberait une représentation des sept merveilles du monde et, sur l'autre moitié de l'affiche, montrerait la photo d'un condamné à mort sur une chaise électrique, au bout d'une corde, face à un peloton d'exécution ou encore allongé, sanglé et les bras déjà sous la perfusion de l'injection létale, avec comme légende une simple question : « Où préférez-vous partir ? Choisissez. »

Poussez encore un peu plus loin et vous pourrez imaginer que l'on boycotte le tourisme dans ce superbe pays jusqu'à l'abolition de la peine de mort ! Vous, nous, tous unis dans un geste de citoyenneté universelle. Pour les droits de l'homme. Refusons d'aller dans un pays où la « mésaventure » vécue par Stan Faulder peut s'abattre sur n'importe quel étranger qui se trouve au mauvais endroit au mauvais moment.

Né au Canada dans la province d'Alberta en 1937, Joseph Stanley, dit Stan, a quatre ans lorsqu'il est victime d'un accident de voiture qui va le déséquilibrer émotionnellement et intellectuellement toute sa vie durant. Dès lors il ne sera plus jamais le même. Souffrant de syncopes à la moindre angoisse, il commet des actes inconsidérés qu'il ne peut expliquer.

Ainsi, dès sept ans, il commence à chaparder. À quinze ans, il dérobe une montre et passe six mois en maison de redressement. À dix-sept ans, il récidive et écope de six mois de prison. À vingt-deux ans, inculpé pour le vol d'une voiture, il est condamné à deux ans. Derrière les barreaux, il demande alors l'aide d'un psychiatre, qui lui propose un traitement expérimental à base de LSD ! Libéré en 1962, il se marie avec une infirmière et devient bientôt le père de deux filles. Mais le mariage bat de l'aile. Faulder enchaîne les jobs les uns après les autres. Le couple boit.

En 1971, les Faulder divorcent. À cause de son passé, Stan perd la garde de ses enfants et sombre dans la dépression. Il part pour les États-Unis. Un temps, il travaille dans les cuisines d'un casino de Reno. Pendant l'été 1975, il rejoint le nord-est du Texas, Longview où il fréquente surtout les bars. C'est là qu'il rencontre Stormy Summers, alias Lynda McCann, une fille des moins recommandables qui collectionne les petits amis,

Ernie McCann et James Moulton entre autres. Les joints et l'alcool aidant, un soir, Faulder, Stormy et Moulton décident de faire une descente chez une vieille dame fortunée de Gladwater. La première visite tourne court. Mais la fille et Faulder retournent une autre nuit chez Inez Phillips. La suite est embrouillée et les témoignages diffèrent. Une fois dans la place, Faulder aurait disparu pour explorer les lieux. Un coup de feu aurait brisé le silence. Faulder aurait rejoint sa complice. Il aurait vu Stormy et la vieille dame se battre. Faulder, saisissant alors un couteau dans la cuisine, aurait poignardé la femme âgée de soixante-quinze ans avant de forcer le coffre fort et de s'enfuir avec comme seul magot des bijoux en verroterie.

Dès le lendemain de l'agression et du meurtre, le fils de la victime offre une récompense. Moulton donne le nom de ses compagnons de beuverie. Deux ans plus tard, Faulder est arrêté dans le Colorado.

Outré de voir les droits constitutionnels ainsi bafoués, l'avocat de Faulder conteste immédiatement la confession que les Texas Rangers ont obtenue de son client. En effet, selon l'article 36 de la convention de Vienne, un étranger arrêté a le droit de contacter son consulat. Or, à aucun moment la justice ne lui en a donné la possibilité. Il semblerait que l'intervention de l'avocat n'ait d'ailleurs pas changé grand-chose.

Faulder subit une expertise psychiatrique. James Grigson, de Dallas, surnommé Docteur Death, réputé pour ses diagnostics véhéments et son empressement à détecter les « futurs dangers » pour la société, le déclare psychopathe. Ce même médecin sera radié de l'ordre des psychiatres quelques années plus tard.

Après un procès basé sur de faux témoignages, une expertise médicale contestable, sans complément d'enquête, le jury ne trouve aucune circonstance atténuante à cet homme atteint de troubles mentaux et l'envoie à la mort.

En 1979 survient un deuxième procès ordonné par la cour d'appel. Jack Phillips, le fils de la victime, plus déterminé que jamais, engage une équipe pour accabler Faulder. En effet, jusqu'à présent, rien ne permet de démontrer que le Canadien est lié au meurtre. Qu'à cela ne tienne. Les preuves sont trop faibles, on va les renforcer... Phillips passe un marché avec la fille qui était en fait la seule instigatrice du cambriolage. Alors que l'avocat de la défense s'insurge et se révolte de voir un homme fortuné s'acharner sur un indigent, Lynda alias Stormy et son régulier, dûment rétribués, chargent leur trop candide complice.

Une dizaine d'années s'écoulent. En 1992, le premier défenseur transmet le dossier à une jeune avocate, Miss Badcock, qui contacte la famille de Faulder... sans nouvelles de lui depuis dix-sept ans ! Elle multiplie les démarches, regroupe des témoignages sur l'enfance et l'accident de son client, et retient particulièrement celui d'une femme qui raconte comment Faulder lui a sauvé la vie, un jour de tempête de janvier 1965. Badcock demande à deux psychologues d'examiner Faulder et ceux-ci concluent que « si Faulder avait vraiment commis ce crime, ce serait complètement antinomique avec sa nature passive ». L'avocate présente alors une requête au juge en s'appuyant sur ces nouvelles donnes, mais échoue à convaincre le magistrat.

Après avoir découvert une note manuscrite d'un des enquêteurs impliquant Ernie McCann, le compagnon de dérive de Lynda, comme complice de l'agression, elle essaie d'obtenir un deuxième procès, mais toujours sans succès, car le témoignage de McCann est soudain déclaré irrecevable ! C'est évidemment plus facile que d'en faire un parjure ou un coupable.

Ainsi, en dépit de tous les efforts de son avocate, Faulder ne peut échapper à la peine capitale. Les différentes cours et la Cour suprême des États-Unis refuseront de tenir compte des injustices qu'il a subies, notamment, et ce n'est pas la moindre, la violation de la loi internationale.

Pendant vingt ans, dans le couloir de la mort, il mène une vie exemplaire, respectueux du règlement, il lit la Bible, écrit des poèmes et devient chapelain du pénitencier. Manifestant son regret pour la tragédie à laquelle il a pris part, il refuse cependant de travailler – en prison – pour un État qui va le tuer. Comme tous les condamnés, un matin de décembre, il quitte sa cellule et part cinq jours avant son exécution pour le quartier de haute sécurité en observation. Ensuite, il est transféré dans la chambre de la mort, sa dernière adresse. Son visage exprime la paix.

Premier Canadien exécuté aux États-Unis depuis 1952, il n'est cependant pas le seul ressortissant étranger à supporter aussi funeste destin. On a beaucoup parlé de ces deux Allemands condamnés et exécutés pour meurtre, qui n'avaient pas été informés de leurs droits. La rumeur, mère des légendes et de l'absurdité, aurait laissé entendre que les individus en question étaient en réalité des espions. Pour cette raison, leur gouvernement ne se serait pas manifesté. Toutes les fables sont permises lorsque l'on sait que le gouvernement canadien n'a pas entendu parler de Stan Faulder pendant dix-sept ans...

FRANK LEE SMITH

Arrêté en 1985 pour le viol et le meurtre d'une fillette, Frank Lee Smith, condamné à mort, a rendu l'âme dans sa cellule du couloir de la mort après avoir passé quinze ans à clamer son innocence.

Dans le nord de la Floride, le 14 avril 1985, une petite fille de huit ans est violée et sauvagement maltraitée par un homme. Elle meurt neuf jours après l'agression.

Frank Lee Smith est arrêté. Lors du procès, la mère de la victime déclare le reconnaître. Deux autres témoins corroborent ses dires. Smith est condamné à la peine de mort. Plusieurs appels sont déposés tandis qu'il continue à se prétendre innocent. Lors d'un dernier appel en 1998, les autorités proposent un examen de son ADN. L'avocat de la défense, croyant à la culpabilité de son client, freine subtilement l'action. Quelques mois plus tard, Frank Lee Smith meurt dans sa cellule du couloir de la mort en Floride, des suites d'un cancer. Les analyses de sang et examens ADN sont enfin effectués et révèlent son innocence.

Depuis, la mère de la victime aurait demandé la réouverture de l'instruction.

BETTIE LOU BEETS

Victime pour les uns, tarentule infernale pour les autres, Bettie Lou Beets, une mamie de soixante-deux ans de couleur blanche, coupable du meurtre de son mari, un bourreau domestique, a été condamnée à mort en octobre 1985 et exécutée le 24 février 2000 au Texas.

De mémoire de Texan, jamais un être humain n'a autant souffert que Bettie Lou Beets... Que ce soit dit ! Les gars du pays ont pourtant la réputation de vivre à la dure. Mais ce n'est rien en comparaison de l'existence qu'a connue cette femme. De sa plus petite enfance à l'âge mûr, cette Bettie Beets n'aura eu droit qu'à des accès de maltraitance et aux pires sévices.

Née dans une petite ville du Texas dans la tourmente des années 1940, élevée par un père vindicatif, alcoolique notoire, et une mère atteinte de troubles psychiques, abusée sexuellement dès l'âge de cinq ans, elle est toute jeune lorsque de graves lésions cérébrales consécutives à un accident de voiture et des maux de tête commencent à la faire souffrir...

À quinze ans, cependant, après une scolarité dans une

institution pour enfants malentendants, elle se marie avec un solide gaillard. Dix-sept ans et six enfants plus tard, quand il l'abandonne, elle sombre dans l'alcoolisme. Son manque de formation ou d'expérience professionnelle, ses difficultés à communiquer avec autrui à cause de son handicap l'enfoncent dans la spirale. Quand on n'a connu que les humiliations, il est difficile d'avoir une notion de la dignité et des marques de respect que l'on est en droit d'exiger des autres. Pour n'avoir jamais côtoyé le bonheur, elle n'a aucune conscience des choix, des personnes qui pourraient la consoler, voire l'entraîner dans une vie meilleure. N'ayant fréquenté que des brutes, Bettie ne tombe que sur des types qui abusent d'elle, poings à l'appui. Parmi les amis d'un soir, l'un d'eux, plus désaxé que les autres, la viole et tente de l'étrangler. Dans ces cas-là, elle a coutume de dire qu'elle peut pleurer autant qu'elle le désire car il n'y a personne auprès d'elle pour l'entendre...

De mauvais traitements en abus domestiques, cinq unions se succèdent. Chaque fois, l'époux du moment la traite comme une serpillière juste bonne à s'occuper des gosses et à remplir les devoirs conjugaux selon ses désirs, sans que jamais elle prenne au sérieux les outrances qu'elle subit. Le dernier tortionnaire en date, un capitaine des pompiers de Dallas, Jimmy Don Beets, ne dépare pas la galerie.

Un jour, une nuit, en août 1983, il va trop loin. Alors qu'elle ne supporte plus de recevoir des corrections, elle lui assène un coup sur la tête. Quelques jours plus tard, le 6 août, on récupère le bateau de pêche de Beets à la dérive sur le lac d'Athens, sans nulle trace du corps. L'instruction démarre. La police découvre alors le cadavre enterré derrière le mobil-home du couple, dans la banlieue de Gun Barrel City, au Texas.

Dans un premier temps, Bettie Beets accuse deux de ses fils. Mais elle a l'esprit embrouillé. C'est ce qui l'a toujours égarée et c'est ce qui va finir par la perdre. Les charges contre elle s'accumulent. On retrouve le corps du quatrième conjoint, Doyle Wayne Barker, mort en 1981, lui aussi « enterré ». Lorsque les enquêteurs poussent leurs investigations, ils apprennent qu'elle a attenté, plusieurs années auparavant, à la vie de Bill Lane, le numéro deux sur la liste, mais qu'il a survécu... Néanmoins, mis à part la disparition du pompier, les autres faits ne sont jamais corroborés.

Le 8 juin 1985, Bettie Beets est arrêtée. Inculpée d'avoir assassiné Jimmy Beets avec l'aide de son fils Robbie Branson, elle est soupçonnée par les autorités d'avoir agi par intérêt pour toucher la prime d'assurances de 100 000 dollars et les bénéfices d'une pension. Les journaux la surnomment déjà « la Veuve noire ».

Lors de son procès en octobre 1985, alors qu'elle n'entend rien de ce qui se dit et qu'aucune assistance ne lui est accordée pour l'aider à comprendre les débats, personne, pas même son avocat, ne mentionne sa surdité. Lorsqu'on lui demande ce qui s'est réellement passé, elle ignore ce qu'il faut répondre. « Comment ? » insiste l'accusation. Elle ne sait plus. « De quelle façon est-ce arrivé ? » répète le juge. Elle ne sait toujours pas. Au bout d'un moment, elle finit par murmurer : « Il y a un grand trou dans ma mémoire. »

La procédure se poursuit. Selon la loi texane, Bettie Beets risque la peine capitale s'il est prouvé qu'elle a agi avec préméditation. Son défenseur, Ray Andrews, un avocat « marron » déjà compromis dans une sale affaire, tait délibérément au jury le fait qu'elle ignore encore, un an et demi après le meurtre, l'existence de la police d'assurance. L'affaire devient glauque. Andrews se retire en renonçant à ses honoraires. Selon la rumeur, il aurait déjà extorqué à Bettie Beets la signature qui lui donne les droits littéraires et cinématographiques de son histoire.

Les journaux ne se privent pas alors de surenchérir sur l'immoralité et la réputation sulfureuse de l'accusée dont ils se repaissent. La « Veuve noire » est plus payante que la victime. À peine mentionne-t-on qu'elle est une femme battue. Les témoignages des garçons de la famille sont minutieusement reproduits. James Beets affirme qu'il n'a jamais vu aucune marque de coups sur Bettie et que son père était un grand homme. Rodney Barker, un autre de ses rejetons, n'hésite pas à être encore plus virulent : « Non ! Elle n'est pas folle, elle est juste le diable personnifié... »

La petite bonne femme de soixante-deux ans, six fois mère, neuf fois grand-mère et six fois arrière-grand-mère, se voit condamnée en 1985. Sa fille, Faye Lane, se démène et apporte des photos où l'on voit Bettie battue et affreusement mal en point, mais il est trop tard. Bettie a l'esprit embrouillé, elle s'est tue sur sa condition de femme maltraitée, condition pour elle si naturelle, et cela l'a perdue.

Il n'y aura pas de recours possible. Bush Junior, déjà préoccupé par sa campagne électorale, défend des positions qui seront toujours les mêmes quinze ans plus tard. « Je suis pour la peine de mort, maintient-il, fidèle à son credo, je crois que cette punition sauve des vies innocentes. » Une association de défense des droits de l'homme tente de mobiliser l'opinion, mais en vain.

Dans le couloir de la mort réservé aux femmes, Bettie continue de subir humiliation sur humiliation. Quand il est enfin établi qu'elle n'a aucune tendance suicidaire, son isolement prend fin et elle peut « terminer » son temps aussi tranquillement que le lui permettent ses cauchemars nocturnes. Le 24 février 2000 à 18 h 18, deux ans après Faye Tucker, Bettie Beets trouve la mort par injection létale. Elle est la 208ᵉ personne exécutée au Texas depuis 1976. Entre 1976 et 2000, 616 exécutions ont été pratiquées aux États-Unis. De fait, le Texas y a participé pour un tiers !

Certains ne liront là qu'un fait divers de plus. Un épisode de plus dans la guerre entre les hommes et les femmes. Une exagération des féministes. Plus juste, un humaniste, Bree Buchanan (du Texas Council on Family Violence), dira : « Sa terrible histoire s'est poursuivie de l'enfance à l'âge adulte, et le syndrome, le choc post-traumatique des femmes battues a fait écho à sa souffrance. »

À nous d'entendre le cri d'agonie de Bettie Beets : « La loi du Texas n'a rien fait pour m'aider, il est légal pour eux de finir leur travail... » Ou encore une de ses plaintes : « Je crois qu'en me tuant on veut dire que les femmes et les enfants battus ou abusés n'ont aucune chance ; pour eux, c'est toujours sans fin jusqu'à la mort, sans possibilité de répliquer... Mais Dieu nous aide quoi qu'il arrive en chemin. »

Source

http ://crime.about.com/newissues/crime/librairy/weekly/
aa021400a.htm

**Site Internet consacré aux femmes dans le couloir de la
mort**

www.agitator.com/dp/women

WANDA JEAN ALLEN

En dépit de ses protestations et de ses allégations de n'avoir agi qu'en état de légitime défense, Wanda Jean Allen, déficiente mentale, est condamnée à mort en 1989 pour le meurtre de Gloria Leathers, la petite amie qu'elle avait connue en prison. Elle a été exécutée le 11 janvier 2001.

Lorsque l'on observe la population carcérale des États-Unis dans sa globalité, ses composantes – nombre de femmes et d'hommes, nombre de condamnés à la peine capitale et leurs chefs d'accusation –, on est frappé par la violence des actes perpétrés par les femmes et par le fait que très peu d'entre elles se prétendent innocentes, à l'instar de Darlie Routier (voir p. 29). À l'inverse des hommes, elles sont en majorité coupables, responsables de meurtres vraiment atroces.

Les criminelles américaines représentent un pourcentage assez faible du nombre total de détenus, mais la sauvagerie de leurs méfaits en paraît d'autant plus spectaculaire. Quand les femmes craquent et se révoltent, elles ne font pas dans la dentelle. Certains diront que c'est un effet de leur libération. Comme faisant écho à ce phénomène, les mouvements féministes ne se sont pas mobilisés pour leurs semblables dans le couloir de la mort. À crime égal, châtiment égal et égalité pour tous. Peut-être est-ce une explication un peu simpliste...

La déchéance des femmes réduites à des solutions aussi extrêmes que le meurtre révèle les faiblesses d'une société qui préfère punir et exécuter plutôt que d'aider, de guérir et de développer des plans sociaux, des traitements de désintoxication pour les drogués, des stages de formation. Comme on a pu le voir dans ce livre, beaucoup de condamnés ont eu des circonstances atténuantes – une enfance difficile, un accident qui a engendré des lésions cérébrales graves, un retard mental, une éducation sans repères et dans le plus grand abandon... Il ne s'agit pas d'excuser leurs actes mais de comprendre qu'ils n'ont reçu ni les soins ni l'attention dont ils avaient besoin. Ils ont trouvé un équilibre en prison parce que la prison – aussi horrible que cela puisse paraître – a été le seul élément stable de leur misérable existence.

Wanda Jean Allen ne fait pas exception, elle compte parmi les déshérités du grand rêve américain.

Voyons cependant les faits. L'action se situe en Oklahoma.

Le 5 décembre 1988, deux femmes se disputent dans un magasin de jardinage. L'une d'entre elles, Gloria Leather, saisit un râteau et en menace sa compagne, Wanda Jean Allen. Ce n'est pas leur première dispute. Elles se sont connues en prison. Gloria avait un terrible passé derrière elle, une sale réputation de « gros dur ». En 1979, elle avait poignardé une femme à Tulsa, en Arizona. Wanda, elle, avait à son palmarès un homicide involontaire, la mort par accident de Detra Pettus, tuée à bout portant. En 1988, encore en libération surveillée, elle vit avec Gloria une liaison mouvementée qui les pousse souvent à appeler la police pour arbitrer leurs disputes.

Ce jour de décembre, le même scénario se répète. Elles se retrouvent bientôt sur les marches du commissariat du village quand un coup de feu interrompt leurs cris.

Cinq jours plus tard, Gloria succombe à sa blessure. Elle avait vingt-neuf ans. Sur une photo prise à la prison peu de temps après, on voit le visage de Wanda, alors âgée de vingt-huit ans, couvert de blessures et des marques du râteau.

Un avocat commis d'office, sans expérience en procédure pénale, accepte l'affaire sans avoir les moyens de mener une contre-enquête et de rechercher des témoins. Quand l'accusation se précise, il veut être dessaisi du dossier mais sa demande est refusée. Il plaide donc, du moins essaie-t-il.

En 1989, lors de son procès, accusée d'homicide volontaire et de crime prémédité, Wanda n'a, dès le départ, aucune chance de s'en sortir. Les témoins favorables à sa défense ne sont pas appelés. Pas plus que ne sont mentionnés sa déficience mentale, son 69 de QI (à 70, vous êtes retardé mental), ses troubles neurologiques, ses déficits cognitifs et sensoriels liés à un accident de voiture — une camionnette qui l'a heurtée à l'âge de douze ans — et une blessure, à quatorze ans, due à un coup de couteau porté à la tempe gauche. Ceci est hors sujet : il est inutile d'ennuyer le jury avec le rapport d'un psychologue stipulant qu'elle était vulnérable, en proie à un stress permanent et à une totale désorganisation.

Cette fille est noire, lesbienne et récidiviste. La justice doit trancher et protéger la société de ce genre de furie, de paria, de parasite. Il faut la renvoyer à l'endroit d'où elle vient : en prison ! Histoire de la pousser à bout, de lui faire subir l'hostilité du personnel pénitentiaire souvent mixte, les fouilles intempestives des gardiens, même « superficielles », trop répétitives, les cruautés et l'absence de soins pour les malades mentaux.

Le procureur oublie la mère de la victime, qui veut témoigner de l'agressivité de sa propre fille, et se contente de traiter Wanda de « menteuse sans remords » et de « comédienne » lorsqu'elle pleure. Justice est rendue : l'accusée est condamnée à mort. Servant ainsi la cause des partisans du châtiment suprême, certains journaux commentent la sentence en reprenant des propos de la famille de Gloria : « Notre fille bien-aimée n'a pas eu le choix de sa vie. » Ils reviennent sur la mort de Detra Pettus, la première victime de Wanda : « Les peines de prison trop courtes sont une des raisons pour lesquelles les crimes se répètent... » Ou encore : « Il ne lui a fallu que vingt ans et un deuxième meurtre pour obtenir la peine capitale... »

Le 11 janvier 2001, à quarante et un ans, après treize années de « bonne conduite et de conversion spirituelle » derrière les barreaux, accompagnée de Robin Meyers, un pasteur protestant, et soutenue par de nombreux groupes gay, Wanda Jean Allen est exécutée par injection létale. Sans pitié. Privée de toute écoute. Sans le moindre sursis.

Le gouverneur Frank Keating, républicain et supporter acharné de la peine de mort, a refusé toute clémence. La Cour suprême des États-Unis a décliné la révision du jugement et la commutation en peine de prison à perpétuité.

Wanda s'éteint, les bras perforés par les seringues, le sourire aux lèvres, après avoir murmuré à Robin Meyers, son chapelain : « Père, pardonnez-leur, car ils ne savent pas ce qu'ils font. » Elle est la première femme exécutée en Oklahoma depuis 1907, la première Afro-Américaine du pays depuis 1954, et la sixième femme depuis le rétablissement de la peine de mort en 1976.

Site Internet

www.agitator.com/dp/women/index.html

À lire

Rapport d'Amnesty International sur une visite à la prison d'État pour femmes de Valley, en Californie (AMR 51/53/99).

TOM THOMPSON

Condamné en 1983 pour un meurtre commis par un homme qui se disait son ami, Tom Thompson est mort empoisonné par injection létale en 1998, sans avoir pu faire reconnaître son innocence.

Avant que ne commence sa descente aux enfers, Tom Thomson était un jeune homme remarquable. Et jusqu'au jour de sa mort, il est resté remarquable, généreux, ouvert aux autres et sans amertume. Il venait pourtant de passer contre toute équité quinze ans dans le couloir de la mort.

La chance tourne brutalement pour Tom en août 1981. À cette époque-là, il vient de divorcer, il est un peu perdu, il cherche de nouvelles motivations pour s'enthousiasmer et s'intéresser à la vie. Il se souvient d'une promesse faite quelques années plus tôt à un ami vietnamien à l'agonie. Il lui avait dit qu'il irait chercher sa sœur au Vietnam pour la ramener en Californie. Tom se lance donc dans ce projet, se mettant en quête d'un bateau et d'un financement pour permettre aussi à d'autres réfugiés de se joindre à eux.

Surgit David Leitch. Récemment divorcé, d'une famille aisée d'Orange County, Leitch vit dans un appartement face à l'océan à Laguna Beach, et partage son existence dorée entre son ex-femme, Tracy, et Ginger, sa nouvelle fiancée. Le ménage à trois connaît des relations assez tumultueuses, voire conflictuelles. David Leitch souhaite se rapprocher de sa femme et éloigne Ginger. Celle-ci confie à un de ses amis policiers que son amant l'a menacée de la tuer.

C'est l'été. Californien qui plus est. Les jeunes gens font la fête. Tom, qui est alors gardien d'un yacht, sort avec Ginger et rencontre Leitch, qui lui propose de l'aider à réaliser son projet en faisant miroiter un bateau subventionné par sa mère.

La nuit du 11 septembre, les deux couples dînent ensemble puis se séparent. Tom et Ginger partent danser, boire, fumer des joints, et rentrent dans l'appartement prêté par David. Après des ébats « librement consentis », Tom s'endort. À son réveil, comme il ne voit pas Ginger, il suppose que David est passé la chercher comme prévu... Deux jours plus tard, Leitch annonce à son ami que le bateau promis attend au large de San Lucas et ils s'embarquent tous deux pour le Mexique où, très vite, ils sont interceptés et arrêtés par la police pour le meurtre de Ginger.

En 1983, c'est Tom qui passe le premier devant le tribunal. Des mouchards installés dans sa cellule témoignent qu'il a confessé avoir été engagé par son ami pour tuer la jeune femme. Les invraisemblances s'accumulent. Deux nouveaux mouchards se présentent pour appuyer la « nouvelle théorie » du procureur : Thompson a agi seul, il a violé et tué Ginger. Pour ce faire, il évince les témoins prêts à déclarer que seul Leitch avait à la fois le motif et le tempérament – violent – qui ont permis le passage à l'acte. Tom Thompson est donc reconnu coupable et condamné à mort.

Arrive le procès de Leitch, avec le même procureur, le même juge mais un jury différent. Connu pour sa violence, sa consommation de drogue, arrêté déjà plusieurs fois dont une pour agression, Leitch a tout contre lui : le motif, les fibres du tissu des sièges de sa voiture, une empreinte de pied près du corps de la victime et l'arme du crime, un couteau de pêche disparu et jamais retrouvé qui correspond au sien. Déclaré coupable de meurtre au second degré, Leitch est condamné à quinze ans de prison !

En mars 1995, un juge étudie le dossier de Thompson, constate l'incompétence de la défense, le « manque de preuves » concernant le viol, l'incrédibilité des codétenus et de multiples contradictions dans les dépositions qui jettent « un doute considérable » sur sa culpabilité. En 1996, en dépit de tous ces constats, la cour d'appel du 9e circuit rejette la requête, prétextant que l'incompétence de l'avocat n'aurait pu changer le verdict. En mars 1997, elle réitère son arrêt et la sentence de la peine de mort. Parallèlement, la Cour suprême des États-Unis rejette la révision du procès. L'exécution est alors prévue pour le 5 août 1997.

Dans le même temps, l'avocat de Thompson découvre un nouvel élément qui plaide en faveur de son innocence. De fait, Leitch n'a jamais témoigné. Ni à son procès ni à celui de Tom. Mais dans les transcriptions de ses dépositions, l'avocat se trouve face à deux versions, l'une où Leitch prétend avoir découvert le corps et le meurtre commis par son ami, l'autre dans laquelle il dit être retourné à l'appartement, avoir vu le couple faire l'amour et être revenu plus tard. En juillet 1997, Thompson dépose un appel en habeas corpus sur cette révélation et la preuve écrite qu'il n'y a pas eu viol, mais la Cour suprême de Californie rejette l'appel sans audition.

Le 3 août, trente-deux heures avant l'exécution, la cour d'appel du 9e circuit revient sur sa position...

Le 4 août, six heures avant l'exécution, la Cour suprême des États-Unis accepte une révision du procès.

Dans le maquis des dissensions qui caractérise le système judiciaire américain, une nouvelle audience a lieu le 29 avril 1998, et l'État de Californie décide d'une nouvelle date d'exécution, fixée au 14 juillet de la même année. L'État et les différentes cours ne parviendront pas à s'entendre pour réparer l'erreur judiciaire.

Malgré un traitement éprouvant pour l'équilibre de n'importe quel être humain, Tom reste serein, toujours concerné par les autres, et arrive à ne pas être blessé par les humiliations du personnel du pénitencier, les querelles de bandes rivales, les tensions raciales.

Affichant toujours un sourire sur son visage, faisant à chaque fois preuve de bonté, il n'exprime, cette nuit du 14 juillet 1998, que courage et dignité, et demeure, jusqu'au bout du couloir de la mort, un homme remarquable.

CESAR ROBERTO FIERRO

Condamné à mort en 1980 pour le meurtre d'un chauffeur de taxi, sur la base de ses propres aveux, Cesar Fierro maintient depuis lors avoir fait sa confession sous la contrainte.

Selon lui, à l'époque de son arrestation, la police mexicaine, de mèche avec son homologue américaine, retenait ses parents en détention afin de faire pression sur lui. Au cours du procès, le détective américain incriminé nie les faits. Lors de la procédure d'appel, la défense de Fierro produit un document qui atteste le contraire mais n'est pas estimé « suffisant ». Quand ensuite l'affaire est présentée à la cour d'appel du Texas, celle-ci reconnaît que les droits de Fierro ont été violés mais qualifie cette faute « d'erreur sans conséquence ».

Appel et habeas corpus ont été rejetés. Aucune des cours sollicitées n'a jugé bon d'intervenir. À une audience, un jour, le procureur s'est contenté de préciser que, s'il avait entendu parler de l'affaire et de l'arrestation de la famille de Fierro il n'aurait pas tenu compte des aveux de l'accusé et peut-être même annulé son inculpation... à moins, ajoute-t-il, qu'il n'ait été convaincu par le témoignage du délateur. Ce qu'en d'autres termes certains appellent pratiquer la langue de bois, dialecte bien connu des politiciens.

Cesar Fierro est, depuis vingt ans, dans le couloir de la mort, à cause de l'inconduite d'un officiel, un représentant de la justice, et il attend son exécution.

Sources

– *A state of Denial : Texas Justice and the Death Penalty* : le rapport de Texas Defender Service.
– Amnesty International.

ALEXANDER WILLIAMS

Le 22 août 2000, Alexander Williams apprend qu'il vient de bénéficier de la clémence de la Cour suprême de Géorgie, qui a décidé de surseoir indéfiniment à son exécution. Quarante-huit heures plus tard, il aurait été exécuté.

Condamné à mort en 1986 pour le viol et le meurtre d'une jeune fille blanche – un crime atroce –, Alexander Williams, un mineur noir de dix-sept ans, souffre de troubles mentaux qui plongent leurs racines dans une enfance traumatisante et dans les mauvais traitements qu'il a subis. Comme dans la plupart des cas de mineurs ou d'handicapés mentaux issus de milieux défavorisés, la défense assurée par O.L. Collins, un avocat commis d'office (lui-même accusé quelques années plus tard et privé du droit de plaider au pénal), ne présente aucune circonstance atténuante.

En août 2000, quelques jours après que la date de son exécution a été fixée, le *New York Times* annonce que cinq des douze jurés du procès de Williams viennent de demander à la commission des grâces de commuer la peine capitale en peine de prison à perpétuité car ils n'avaient pas été informés des antécédents de l'accusé au moment du procès. Sans cette intervention, Alexander Williams aurait été le quinzième « enfant délinquant » exécuté en l'an 2000.

Actuellement, on compte quatre-vingts jeunes condamnés qui survivent dans les couloirs de la mort. En mars 2001, Lionel Tate, un mineur noir de quatorze ans atteint lui aussi de troubles mentaux, s'est vu condamné à la prison à vie pour le meurtre d'une fillette de six ans avec laquelle il jouait sans surveillance, lui donnant des coups pour reproduire les gestes vus dans les matchs de catch retransmis à la télévision.

Encore une fois, il ne s'agit pas d'excuser des actes répréhensibles mais de tendre la main à des êtres démunis afin que le roman de Steinbeck *Des souris et des hommes* cesse à jamais d'être l'expression d'une réalité quotidienne.

DELBERT LEE TIBBS

Inculpé en 1974 pour le meurtre de Terry Milroy, un jeune homme de vingt-sept ans, et le viol de sa compagne de voyage, Cynthia Nadeau, une adolescente de seize ans, Delbert Lee Tibbs, un étudiant en théologie de seize ans, est condamné à mort sur la base d'une identification de suspects soumise à la victime.

En 1976, exprimant un « doute considérable » sur la culpabilité de Tibbs, la Cour suprême de Floride ordonne un nouveau procès. L'alibi de l'accusé, qui affirmait s'être trouvé dans une région éloignée du lieu de crime, ayant pu être confirmé, l'État décide de le libérer en 1977 et abandonne les charges contre lui, l'innocentant définitivement en 1982.

Tibbs est devenu célèbre grâce à Joan Baez, Angela Davis, Pete Seeger, ses supporters, et par la chanson *Ode to Delbert Tibbs*, que ce dernier a écrite pour lui. Après sa libération, Tibbs s'est installé à Chicago. Actif militant contre la peine de mort, il offre bénévolement son temps à des amis dans le besoin.

HURRICANE RUBIN CARTER

En 1967, échappant de justesse à la peine capitale, le champion de boxe Rubin Carter est condamné pour trois meurtres à la prison à vie. Innocenté en 1976, libéré en 1985, il vit à présent au Canada et consacre son énergie à la défense des personnes injustement condamnées.

La vie de Hurricane Rubin Carter n'a plus guère de secret pour le commun des mortels. Champion sportif dans les années 1960 puis héros d'une chanson de Dylan, de son propre livre de témoignage, d'une biographie et d'un film américain, Rubin Carter est un personnage charismatique parce qu'il n'a jamais renoncé à sa dignité.

Depuis son enfance, il se bat. D'abord pour défendre ses copains. Ensuite pour échapper à la répression que le pouvoir des notables blancs veut infliger à ce gamin dont le seul credo est la vérité. Il connaît les maisons de correction. La fuite. La cavale. L'armée. Les premières victoires sur le ring. De nouveau la prison. Mais il dérange toujours car il ne baisse jamais la tête. Il fait partie de ces êtres qui refusent de mendier ce qui leur est dû mais qui n'hésitent pas à s'en emparer.

Une nuit de 1967, deux hommes pénètrent dans un bar de Paterson, dans le New Jersey, et descendent trois clients... Immédiatement en alerte, la police organise des barrages et des contrôles d'identité. Au cours de l'un d'eux sont interpellés Rubin Carter et l'un de ses amis, John Artis. L'antipathie d'un des détectives à l'encontre du champion fait le reste.

Procès. Faux témoignages. Alfredo Bello et Arthur Bradley, deux délinquants au lourd passé, témoins clés de l'accusation, avoueront plus tard avoir reçu la somme de 10 000 dollars et l'immunité pour certains de leurs actes en échange de leurs déclarations. Rubin et Artis sont condamnés à la prison à perpétuité.

En 1974, consigné dans sa cellule, Carter écrit *Le Seizième Round* qui remporte un succès en librairie... Lesra Martin, un adolescent noir de Brooklyn adopté par un couple de Canadiens s'enthousiasme pour le livre et convainc sa nouvelle famille de défendre la cause du détenu. L'équipe déménage, s'installe aux États-Unis, relit le dossier, refait l'enquête et réussit à réunir les preuves qui vont permettre de disculper leur ami.

Innocenté en 1976, Rubin Carter finit de purger des peines de prison prononcées pour des charges antérieures qui continuent de peser contre lui et enfin, après plus de vingt ans passés derrière les barreaux, il se retrouve libre en 1985. Depuis, il vit au Canada, il a créé l'AID-WYC, une association pour la défense des prisonniers injustement condamnés.

Adresse de l'association

AIDWYC, Association in Defense of the Wrongly Convicted
438 University Avenue
19th floor
Toronto, Ontario M5H 2K8.
Canada

Site Internet

www.aidwyc.org

DEBBIE MILKE

De mère allemande et de père américain, Debra Jean Milke, plus connue sous le nom de Debbie, est arrêtée en décembre 1989. Dénoncée par deux hommes de moralité douteuse, elle est inculpée du meurtre de son enfant. Seule femme du couloir de la mort au pénitencier de Perryville, en Arizona, elle ne cesse de clamer son innocence.

Comme on l'a vu pour le cas de Kenneth Richey (voir p. 89), la calomnie et la délation sont des pourvoyeuses redoutables du banc des accusés et du couloir de la mort. Mais il y a pire abjection encore ! C'est lorsque la propre famille de l'accusé participe à la trahison. On a souvent tendance à comparer la peine de mort à la loi du talion, qui exige le prix d'une vie pour chacun. Dans le cas de Richey ou de Debbie Milke, il s'agit ni plus ni moins de sacrifices humains. Il faut dire que la vie entière de Debbie Milke pourrait ressembler à n'importe quel mélo, mais surtout pas à un conte de fées.

L'histoire débute en 1965, du côté de Berlin-Ouest, en Allemagne, sous un arc-en-ciel éphémère que Sam

Sadeik, un soldat américain, et Renate, une Allemande, confondent avec le coup de foudre.

Ils se marient, ont une fille, Debbie, puis, après une nouvelle affectation, partent pour Phoenix, en Arizona, et ont une seconde fille, Sandy. Les gamines grandissent, vont à l'école et très jeunes, déjà, elles affichent des caractères très différents. Surtout attachée à sa maman, Debbie est une bonne élève. La seconde ne tire aucun plaisir de l'école et recherche la reconnaissance paternelle. Quand les parents divorcent, chacune suit ses aspirations et ses préférences.

En 1984, alors que Debbie a dix-neuf ans, Renate, sa mère, décide de repartir pour l'Allemagne avec son nouveau compagnon, laissant ainsi sa fille derrière elle. Seule et désœuvrée, Debbie est soudain livrée à elle-même et aux mauvaises rencontres qui l'entraînent rapidement à fréquenter des drogués et des types bizarres.

Une année à peine après le départ de sa mère, elle épouse Mark Milke et met au monde un fils, Christopher. Mais déjà la jeune mariée est redescendue de son petit nuage : pendant sa grossesse, Mark a purgé une peine de prison pour détention de drogue. Ne comptant pas sur lui, Debbie travaille. Elle confie Christopher à sa sœur, qui lui propose de l'adopter, mais Debbie refuse. Son mariage prend triste allure. Le divorce est prononcé en 1988. Debbie s'installe alors chez un copain de sa sœur, un certain James Styers, qui a fait la guerre du Vietnam. Asocial, ayant du mal à maîtriser les fantômes qui le hantent, dans la nécessité de suivre un traitement médical sérieux, Styers a pour copain Roger Scott, un drogué paranoïaque aussi instable que lui.

Thanksgiving se passe. Le 2 décembre 1989, Christopher demande qu'on l'emmène voir le Père Noël. Les deux hommes proposent d'aller promener l'enfant. Avec l'accord de Debbie, ils partent donc. Quelques heures plus tard, Styers et Scott se rendent à la police pour signaler la disparition du garçon de quatre ans. Au poste, ils tombent sur un détective zélé, un Hispano-Américain, Armando Saldate, qui flaire une occasion de décrocher une promotion... Au bout de quelques heures seulement, ils en viennent à accuser Debbie : « C'est elle qui les a poussés à tuer le petit ! »

Cela suffit pour ouvrir un procès. Uniquement sur la base d'un témoignage fabriqué. La prime d'assurances de 5 000 dollars, surenchérit le procureur, constitue le mobile du crime. Le père, la belle-mère, Sandy, la sœur jalouse, l'ex-mari et des amis du clan Sadeik forment une coalition pour témoigner contre la jeune mère en faveur de l'accusation, et la décrivent comme l'incarnation du diable. À l'unanimité, on réclame la peine de mort et on l'obtient.

Seule Renate Janka, de retour d'Europe, apporte un peu de réconfort à sa fille et se démène pour créer des comités de soutien et mobiliser l'opinion internationale afin de l'arracher à cette spirale infernale. En vain. Neuf ans plus tard, six appels ont déjà été refusés par le juge qui a supervisé le procès.

Le cas de Debbie n'a rien d'unique. Renate a pourtant réuni dans ses dossiers vingt-cinq plaintes de personnes interrogées par Saldate, expert dans l'art de la manipulation. Mais cela est loin de servir la condamnée. Avec le temps, le policier a été élu au bureau du comté et fait désormais partie des notables, une espèce de « justicier de la paix ».

La date de l'exécution de Debbie Milke est fixée au 29 janvier 1998. L'avocat n'a plus comme seul recours que de déposer un habeas corpus sur la seule considération que les droits de Debbie n'ont pas été respectés, que l'interrogatoire, ne reposant ni sur un enregistrement, ni sur une note, ni sur un aveu signé, est contraire à la loi. L'argument porte. Un nouveau procès est annoncé.

S'opposant au quotidien *Arizona Republic*, qui s'est fait un devoir de décrire Debbie comme un « monstre », une tueuse de sang-froid, *Phoenix*, le grand magazine de l'État commence à poser les vraies questions : « Pouvons-nous exécuter une prisonnière sur la base d'un témoignage inconsistant, sans signature, sans témoin, sans preuve enregistrée ? Sur quelles lois, sur quelles règles nous reposons-nous pour juger de la vie et de la mort en Arizona ? »

Ingo Hasselbach, journaliste de *Der Spiegel*, mène campagne en Allemagne et écrit *La Mort dans le désert (l'histoire de Debra Milke)*, un superbe plaidoyer. Dans cet article, il évoque ce que personne n'a seulement envisagé, le chagrin de Debbie après la perte de son enfant, et la rétractation de son père qui a certifié sur son lit de mort que Saldate était un menteur...

Toujours détenue dans le couloir de la mort en Arizona, Debbie Milke rejoint la trop longue liste des innocents condamnés qui se heurtent au mur inébranlable des convictions répressives de la justice américaine.

Comité de soutien et dons

Citizens for the Protection of Justice
President : Marie Suzette Fowler
P.O. Box 13285
Scottsdale, Arizona 85267-3285
USA

Bank of America
Shea Blvd Office
Scottsdale, Arizona 85254
USA
Numéro de compte : 252601461
Code banque : 001002 122101706

Site Internet

www.debbiemilke.com

ANTHONY PORTER

Condamné à mort en 1983 pour un double meurtre commis en 1982, ayant bénéficié d'un sursis deux jours avant son exécution prévue le 23 septembre 1998, en raison de sa « déficience mentale », Anthony Porter, un délinquant noir, est innocenté et libéré quatre mois plus tard, après seize années passés dans le couloir de la mort. Voici le récit d'une réhabilitation digne des meilleurs romans policiers.

Dans la soirée du 15 août 1982, une foule de badauds se disperse à la recherche de réjouissances estivales, après avoir assisté à un défilé de la Bud Billiken Parade. Jerry Hillard, dix-huit ans, et sa compagne Marilyn Green, dix-neuf ans, sont alors abattus à coups de revolver au beau milieu de Washington Park, un jardin public du South Side de Chicago, au su et à la barbe de tous.

Deux jours plus tard, un petit malfrat de vingt-sept ans, Anthony Porter, bien connu des services de police pour une longue liste d'arrestations et sa tête de chanteur funky à la James Brown scandant *Sex Machine*, est inculpé pour ce double meurtre. Deux tiers – plus ou moins crédibles – et un dénommé William Taylor, le principal témoin oculaire, le reconnaissent formellement. Porter devient le coupable idéal. Condamné à mort en 1983 après un procès bien orchestré, Porter est le dixième promis à la peine capitale de l'Illinois depuis que cet État a rétabli en 1977 la peine capitale.

Quinze ans s'écoulent ainsi... dans la monotonie et la douleur que seul génère le couloir de la mort.

Le 21 septembre 1998, alors que son exécution par injection létale est prévue pour le surlendemain, Porter est finalement déclaré « trop stupide pour mourir » : à cause de son faible QI et de son incapacité à comprendre le châtiment imposé, ses avocats ont obtenu un sursis de la Cour suprême de l'Illinois.

Quelques jours plus tard, à la Medill School of Journalism (Northwestern University, Chicago), lors d'un cours du professeur David Protess, réputé pour avoir déjà réparé des erreurs judiciaires, les étudiants Shawn Armbrust, Lori d'Angelo, Erica LeBorgne, Tom McCann, Syandene Rhodes-Pitts et Cara Rubinsky décident de se pencher sur le cas de Porter.

Assistés par Paul Ciolino, un détective privé qui participe bénévolement plusieurs fois par an à ce genre d'investigations, les apprentis limiers passent alors plusieurs semaines à disséquer les rapports de police, les dépositions des témoins et à essayer d'entrer en contact avec eux. L'un est policier. Un autre est mort. Reste Taylor. Lorsqu'ils finissent par le rencontrer le 14 décembre 1998, très vite celui-ci se rétracte et admet qu'il a subi à l'époque des pressions policières. Porter n'a jamais été l'homme qu'il a vu tirer. Le meurtrier était gaucher et Porter, droitier...

Le 19 janvier 1999, Walter Jackson, incarcéré pour meurtre au centre correctionnel de Danville, dans l'Illinois, avoue à la jeune équipe avoir reçu la nuit du 15 août 1982 la visite de sa tante accompagnée de son mari. Ce dernier, en veine de confidences, lui aurait dit qu'il s'était « occupé » de Jerry et de Marilyn.

Escortées par David Protess et Paul Ciolino, Lori et Erica, deux des étudiantes, se rendent ensuite chez Inez Jackson, la tante, et lui parlent à mots couverts d'un prisonnier qui attendrait de « ses nouvelles »... Nul besoin d'aller plus loin dans le préambule. Madame Jackson a tout de suite compris ce que l'on attend d'elle. Séparée de son époux six ans après la tragédie, Inez, terrorisée par lui, n'a jamais parlé... Pour se disculper, elle invoque ses quarante-huit ans, ses treize petits-enfants et sa santé fragile. Filmée par une caméra vidéo, Inez Jackson confesse alors que le meurtrier n'était pas l'accusé mais son ex-mari, Alstory Simon, qui en voulait à Hillard pour une mauvaise affaire de trafic de drogue. Après son forfait, « sous la menace de son arme », Alstory l'avait entraînée hors du parc puis chez Jackson. Le jour suivant, le couple partait pour le Milwaukee sans jamais revenir à Chicago.

Interrogée à son tour, Offie Lee Green, la mère de Marilyn Green, une des victimes, fait part de ses soupçons. La nuit du drame, sa fille avait quitté la maison en compagnie des Simon ; ces derniers avaient disparu sans explication le lendemain.

Dernier acte. Ciolino et ses acolytes confrontent Alstory Simon et filment ses aveux. Le criminel jure avoir agi en état de légitime défense pour les protéger, lui et sa femme. Hillard aurait fait mine de sortir une arme de son manteau... Mais il n'avait pas l'intention de s'en prendre à Green : pour elle, « c'était un accident ».

On connaît la suite. La présentation des films vidéo aux autorités judiciaires et à la presse. La mise en liberté et le retour difficile du faux coupable à la vie civile... Des complications « légales », de vieilles charges, notamment un vol à main armée la même nuit que le double meurtre, continuent de l'incriminer. Cependant Bertina Lampkin, la juge, et les procureurs ont décidé de les abandonner, arguant que Porter avait fait son temps de prison ! Aujourd'hui, Porter attend les indemnités de l'État. Il espère 140 000 dollars.

Travaillant à son projet de « mettre en place un réseau national, appelé The Innocence Network, dans les écoles de droit et de journalisme », David Protess encourage toujours ses étudiants à travailler sur des cas similaires, et cela malgré des menaces de mort permanentes.

Dans une interview accordée à Catherine Durand du journal *Marie Claire*, Protess évoque le pourcentage d'innocents qui croupissent dans les couloirs de la mort. Selon les statistiques, sur sept condamnés à mort, un devrait être libéré. Lorsque la journaliste remarque que les Noirs représentent 12 % de la population américaine, qu'ils peuplent les prisons à 54 % et les couloirs de la mort à 40 %, Protess ne dissimule pas son point de vue : « Les Noirs risquent quatre fois plus d'être exécutés pour le meurtre d'un Blanc que l'inverse. Il est très rare qu'un Blanc soit exécuté pour le meurtre d'un Noir. Mais le vrai problème reste la classe sociale : 90 % des condamnés à mort sont pauvres. Ils n'ont pas les moyens de s'offrir une vraie défense. Je serais bien en peine de vous citer le cas d'un seul Blanc riche exécuté dans ce pays. »

Dans cette perspective de dénonciation et de démontage des erreurs judiciaires, on peut également mentionner l'exemple de Stanley Howard, dont la condamnation est remise en cause par les recherches de Brittany Bailey, une autre étudiante de Protess, qui a l'intime conviction de son innocence.

Le mensuel français *Phosphore* résume en novembre 2000 l'histoire de Stanley Howard, condamné à mort en 1984, à l'âge de vingt-trois ans, pour meurtre. « Un homme a été abattu dans sa voiture à 4 heures du matin alors qu'il était en compagnie de sa maîtresse, une femme mariée. Celle-ci a reconnu Stanley comme étant le meurtrier lorsque la police lui a présenté ce suspect six mois plus tard. [...] Pourquoi ? Parce que le meurtrier, selon l'étudiante, serait le mari trompé, que l'épouse cherche à couvrir. »

Pour donner une morale à ces chroniques judiciaires, il serait bon de reprendre l'information de *Phosphore* selon laquelle « George Ryan, le gouverneur républicain de l'Illinois [un partisan convaincu de la peine capitale], a décidé en janvier 2000 de suspendre les exécutions jusqu'à ce que l'on soit sûr que toute personne condamnée à mort est réellement coupable ».

Sources

Marie Claire, juin 2000.
Phospore, novembre 2000.

Le magazine **Marie Claire** *qui publie régulièrement des chroniques sur les condamnés à mort nous a donné à titre exceptionnel l'aimable autorisation de reproduire l'extrait de l'article cité.*

Adresse d'Anthony

E-mail : anthony.porter@computer.org

Sites Internet

www.philosophy.niu.edu/~critcrim/wrong/Ill/porterbz1.html
www.illinoisdeathpenalty.com/porter.html
http ://truthinjustice.org/ips.htm

MICHAEL RAY GRAHAM

Condamné à mort, Michael Ray Graham est le 92ᵉ détenu innocenté depuis 1973. Après quatorze ans d'emprisonnement, il a été libéré le 5 janvier 2001.

En 1986, Michael Ray Graham et Albert Ronnie Burrell sont accusés du meurtre d'un couple de personnes âgées commis dans le nord de la Louisiane. Un « mouchard » de prison, un dépressif notoire bien connu des services psychiatriques, atteste que les deux hommes lui ont confessé les meurtres. Bien qu'il n'existe aucun lien entre le crime et les inculpés, qu'aucune analyse balistique n'ait été effectuée, le cas de Graham et de Burrell est vite réglé et inscrit deux noms de plus sur la trop longue liste des jugements entachés de vices de procédure.

Lors d'un nouveau procès en mars 2000, le juge divulgue l'arrangement passé avec le délateur et son « incompétence mentale ». Neuf mois plus tard, Graham et Burrell sortent de prison avec dix dollars en poche chacun.

LA MORT EN DIRECT

En France, la télévision permet de voir des reportages honnêtes et courageux sur les conditions de détention des condamnés à mort aux États-Unis. On se souvient notamment de l'émission *Envoyé spécial* sur ce sujet.

En février 2001, la chaîne câblée Odyssée a diffusé *L'Exécution*, un documentaire de l'Américain Alan Austen qui a filmé pendant trois ans à Huntsville, au Texas, un homme dans le couloir de la mort.

À travers les mouvements des caméras et les dédales d'une prison aseptisée, on découvre B., homme blanc, artiste peintre, qui, une quinzaine d'années plus tôt, a tué de sang-froid deux vieillards sans défense. À la veille de son exécution, le condamné parle de sa conversion au christianisme mais aussi de la montée d'adrénaline qu'il a ressentie lors de ses crimes.

Au pénitencier de Huntsville, propre et astiqué comme un palace, on ne voit que des Blancs, comme s'il fallait prouver que la communauté blanche paie aussi pour ses fautes. De plus, on ne croit pas à la sincérité de l'interviewé. Alors qu'on veut nous interpeller sur l'(in)utilité et le danger de l'abolition de la peine de mort, on a choisi la personne la moins « appropriée » pour témoigner : un être imbu de lui-même, orgueilleux, égocentrique. On peut être progressiste sans avoir à s'émouvoir pour un salaud. Et si on ne l'est pas, inutile de dessiner ce qu'on lui souhaite...

Le discours de ce plaidoyer est d'autant plus pervers qu'il se réfère aux origines génétiques du cobaye. Le journaliste évoque l'adoption de B. et le caractère de sa mère biologique, une alcoolique qui maltraitait ses enfants et à qui finalement le condamné ressemblait par sa brutalité. Eugénisme quand tu nous tiens !

Propagande pour la loi du talion, morale hypocrite et reconnaissance des vertus d'une race supérieure débarrassée des fléaux qui la menacent, le film est tendancieux, voire manipulateur. Heureusement, le présentateur français nous a avertis en avant-propos de sa neutralité, n'ayant pour objectif que celui d'ouvrir un débat « qui ne fait que commencer »...

À l'opposé, la même semaine, Planète, une autre chaîne câblée, programmait *La mort, la haine, le pardon*, documentaire réalisé par une équipe française sous la direction de O. Pighetti, qui a recueilli les témoignages des familles de victimes. Des mères ayant perdu leurs enfants, des enfants pleurant leurs parents, tous mettent l'accent sur leur capacité ou non à faire le deuil de l'absent ou du drame, à pardonner et à se guérir ainsi de l'inacceptable et de la souffrance.

Nous reprendrons dans les pages suivantes des citations de ces témoins. Pour l'instant, dans le souci de livrer le point de vue des différentes parties, il est important de citer l'opinion de Brooks, un jeune sénateur qui défend les droits des familles des victimes dans une association partisane de la peine capitale. Il a obtenu que l'État de l'Oklahoma permette à ces proches d'assister à l'exécution des condamnés à mort. Lui-même, avec sa sœur, a été témoin de l'injection létale administrée à l'homme qui avait décimé les siens.

À propos de l'un des deux assassins de ses parents, qui a violé sa sœur et qui l'a lui-même agressé il y a dix-sept ans, il dit : « Celui-ci a été condamné à perpétuité. Après l'exécution de Hatch, son complice, j'ai voulu aller le voir en prison. Je me sentais fatigué d'être en colère. » Pendant leur dialogue, il était habité par deux sentiments contradictoires. Le premier le poussait à se rappeler que c'était lui qui avait commis ces atrocités. Le second lui soufflait de pardonner selon les préceptes enseignés par son père, qui était pasteur. Enfin, il s'est dit intérieurement : « Je lui pardonne. » À ce moment-là, il a eu l'impression que le poison quittait son cœur et qu'une eau jaillissait pour le purifier.

Après avoir raconté cet épisode de sa vie, Brooks ne peut s'empêcher de redresser l'étendard de ses convictions et il ajoute : « On peut vivre le pardon et cependant rester un supporter de la peine de mort. Il doit être dit qu'une personne qui prend la vie perd tout droit sur la sienne. »

Mieux qu'un énoncé rhétorique, les citations suivantes transmettent, dans toute sa force lumineuse, le message essentiel de *La mort, la haine, le pardon.*

GAYLE

À propos de Douglas, le meurtrier de sa fille Catherine, avec qui elle correspond :

« Douglas est mon ami, celui qui a tué ma fille n'existe plus. »

« Le pardon est un cadeau que l'on s'offre à soi-même et qui permet de guérir. »

La mort, la haine, le pardon, de O. Pighetti, diffusé en février 2001 sur Planète.

L'ASSASSIN DES PARENTS DE SUE

Elle lui a dit : « C'est ce que Jésus aurait fait. Il n'y a pas d'autre moyen que de pardonner et d'oublier pour guérir. »

Heureux d'être devenu son ami tout en regrettant la façon dont ils se sont rencontrés, il a répondu : « Pardonner, c'est le plus grand pas que l'on puisse faire. Moi, je n'ai jamais pu. Mais si son pardon ne peut m'aider, rien ne le pourra. »

La mort, la haine, le pardon, de O. Pighetti, sur Planète.

L'ASSOCIATION DES FAMILLES DE VICTIMES UNIES POUR UNE RÉCONCILIATION

« Prendre une autre vie par la voie de l'exécution ne fait rien d'autre que prolonger le cycle infernal de la violence. »

Sous la présidence de Rene Cushing, dont le père a été assassiné, l'Association des familles de victimes unies pour une réconciliation, ou MVFR (Murder Victims Families for Reconciliation) a été créée pour donner des informations sur les aides dont les familles de victimes ont besoin mais aussi pour faire connaître leurs problèmes de conscience. Ces familles, blessées par la perte de l'un des leurs, se sont rassemblées pour lutter ensemble contre la peine de mort et avoir le courage de dire non quelle que soit la gravité du crime commis. MVFR travaille avec des associations et des organisations telles que Amnesty International, la Coalition nationale pour l'abolition de la peine de mort (NCADP, aux États-Unis), CURE, l'American Friends Service Committee, le Southern Christian Leadership Conference et bien

245

d'autres mouvements regroupés autour d'un même but :
L'ABOLITION DE LA PEINE DE MORT.

Si vous désirez plus d'informations sur l'Association des familles de victimes unies pour une réconciliation (MVFR), envoyez un courrier rédigé en anglais à l'adresse suivante :
Murder Victims Families for Reconciliation
2161 Massachusetts Avenue
Cambridge, Massachusetts, 02140
USA
Fax : 1 617 354-2832

Site Internet

www.mvfr.org

VIRGINIA FOSTER

« Je crois sincèrement qu'il existe d'autres manières de "punir". Oui, ils doivent payer pour ce qu'ils ont fait, mais je ne souhaite pas que la note à régler soit la peine de mort. »

VIRGINIA FOSTER, membre du MVFR

Le fils de Virginia a été assassiné.

TENNALA GROSS

« Les rapports humains entre les uns et les autres devraient être d'une qualité telle que seul l'amour rédempteur de Dieu puisse agir dans nos vies, et cela est et demeurera impossible tant que l'on continuera de se tuer les uns, les autres. [...] Éduquer une société n'est pas un travail facile comparé à la façon simpliste et brutale dont les criminels sont traités. »

TENNALA GROSS, membre du MVFR

William, le frère de Tennala, a été tué par son associé.

NORMAN FELTON

« Préserver la vie d'un criminel et travailler avec lui sur les raisons qui l'ont poussé à commettre cet acte extrême me semble porter un espoir très fort de voir évoluer les mentalités. Cela offrirait à notre société une chance bien meilleure pour l'avenir que de continuer à tuer, à tuer, à tuer. »

NORMAN FELTON, membre du MVFR

Betsy, la fille de Norman, David, son gendre, et Jessica, sa petite-fille, ont été assassinés.

CORETTA SCOTT KING

« Une monstruosité n'est en aucun cas remplacée – voire apaisée – par une autre monstruosité engendrée par la vengeance. [...] La notion de moralité n'est jamais aussi mal défendue qu'avec ce que l'on peut nommer un crime prémédité et ordonné en toute pseudo-légalité. »

CORETTA SCOTT KING (veuve de Martin Luther King), membre du MVFR

JOURNEY OF HOPE :
UNE CROISADE POUR L'ESPOIR

Lorsque l'on navigue sur le fleuve tourmenté de l'Internet et que l'on découvre ses îlots consacrés à la peine capitale aux États-Unis, les images des condamnés à mort attachés à leur chaise électrique meurtrissent le cœur chaque fois un peu plus. Lorsque l'on atterrit sur le site *From Violence to Healing* de Journey Of Hope, on croit débarquer sur une autre planète... Dans l'univers de Bill, Marietta, George, SueZann, il n'y a de place que pour l'amour, la compassion et le pardon. Leurs histoires personnelles s'apparentent pourtant au pire des cauchemars car ils ont vécu la perte d'un ou de plusieurs êtres chers.

Militants actifs réunis depuis 1997 autour de Journey Of Hope, ils organisent et participent à des marches ou des festivals avec des artistes engagés tels Emmy Lou Harris, Jackson Browne ou Joan Baez. Parmi les personnes qui les rejoignent souvent se trouve sœur Helen Prejean qui, dans son livre *La Dernière Marche (Dead Man Walking)*, a retracé son amitié avec Matthew Poncelet, un prisonnier du couloir de la mort de Louisiane en 1993. Présente lors de nombreuses exécutions afin de « prier pour les êtres humains qui sont tués, aussi bien les victimes que leurs meurtriers », sœur Helen de Saint-Joseph transmet ainsi sa méditation sur l'amour, la violence et la peine capitale, qu'elle considère comme criminelle malgré l'irritation qu'elle suscite chez les catholiques américains aux yeux remplis, selon elle, de trop de haine dès que l'on aborde ce sujet.

Laissons à présent la parole à Marietta Jaeger Lane et Bill Pelke.

Adresse de l'association

Journey of Hope (From Violence to Healing)
PO Box 210390
Anchorage, AK 99521-0390
USA
Tél. (appel gratuit) : 1 877 92 4 (4483)

Site Internet

www.journeyofhope

MARIETTA JAEGER LANE

Dans les années 1970, la fille de Marietta disparaît. Un an plus tard, elle est retrouvée assassinée. Très vite la mère se lance dans une campagne à travers les États-Unis et le monde entier pour faire partager ses convictions de farouche adversaire de la peine de mort. Membre fondatrice de l'association MVFR et membre directeur de Journey of Hope, Marietta Jaeger Lane veut faire découvrir à ceux qui crient vengeance la force de guérison engendrée par le pardon. « Il n'existe pas de prix pour la vie [des victimes], a-t-elle coutume de dire. Ce genre de justice ne conduit qu'à nous déshumaniser, à nous dégrader et à légitimer un instinct animal tout juste bon pour une vengeance de vampire assoiffé de sang. »

En 1977, heureuse et épanouie, mère de famille nombreuse, Marietta a une vie comblée. Cet été-là, toute la famille part en vacances faire du camping dans le Montana. Un matin, au réveil, une des tentes est déchirée et Susie, la benjamine de sept ans, ne répond pas à l'appel. Elle a disparu, kidnappée. Commencent alors des recherches qui s'éternisent en vain, sans que se manifeste l'auteur du rapt.

Contrainte de rentrer chez elle et de retrouver la vie quotidienne, la famille traverse des moments douloureux. Dans un premier temps, Marietta éprouve une rage que rien ne canalise. Suit une dépression. Des envies de meurtre. Elle interpelle Dieu avec violence. Puis la femme de foi qu'elle a toujours été reprend le dessus et la colère en elle capitule.

Un an jour pour jour après la disparition de sa fille, un homme l'appelle en pleine nuit. Dès les premiers mots, elle sait à qui elle a affaire. Dès les premiers mots, la tonalité de la voix désespérée du garçon éveille sa compassion. Elle lui demande ce qu'elle peut faire pour l'aider. Il lui parle pendant une heure, lui donnant des détails qui permettront au FBI de l'identifier et de retrouver le corps de la fillette morte une semaine après son enlèvement.

Arrêté immédiatement, David se suicide. Marietta écrit alors à Eleonore, la mère du meurtrier. Vingt-cinq ans après le drame, elles continuent à se voir, à correspondre, à discuter. En dépit de l'incompréhension de certains de ses autres enfants, Marietta poursuit sa démarche. Forte des préceptes de la religion chrétienne, elle multiplie les conférences, les actions, les marches.

Tout au long de ses pérégrinations, elle ne cesse de répéter ce qu'elle a confié au réalisateur de *La mort, la haine, le pardon*, à propos du pouvoir de rédemption du pardon. « Cette peine, Eleonore et moi, nous la portons toutes les deux ensemble et nous devons dépasser la souffrance pour continuer à vivre et sortir du bien de cette tragédie. »

Lorsque nous lui demandons de mieux nous expliquer sa démarche, Marietta Jaeger Lane répond à nos questions avec la bienveillance qui lui est coutumière.

« J'ai, dit-elle, pardonné à l'assassin de ma fille parce que c'était le plus salvateur et le plus saint des choix que je pouvais faire pour lui et pour moi. Mais cela ne s'est pas fait comme cela. Le pardon s'est installé en moi après de longs mois de terrible labeur, de discipline quotidienne. Je suis très reconnaissante envers Dieu de m'avoir appelée sur ce chemin... Par la suite, j'ai trop vu d'êtres enfermés dans leur douleur, seuls face à l'agressivité qu'ils développent en eux pour répondre à l'offense faite aux victimes.

« Je suis très attachée à Eleonore, la maman du meurtrier de mon enfant, parce que le garçon qu'elle a connu et aimé ne ressemblait pas à celui qui a causé ce terrible drame. Comme nous, elle est une victime. J'espère que mon état d'esprit l'aide. Elle dit souvent que c'est la meilleure chose qui lui soit arrivée...

« Je n'approuve pas la peine de mort, bien au contraire, et je donne des conférences à travers le monde pour le dire. Tuer, exécuter une personne au nom de ma fille serait profaner la divinité et l'innocence de sa vie. Ce ne serait pas honorer sa mémoire. »

À lire

— *The Lost Child*, de Marietta Jaeger Lane, Zondervan Publishing Co.
— *Murder Victims Families speak out against the Death Penalty*, a publication of Murder Victims Families For Reconciliation (MVFR), Barbara Hood & Rachel King Editors, 2nd Ed., 1998.

Sites Internet

www.mvfr.org
www.journeyofhope.org

Les articles concernant Marietta, sur le site de Journey of Hope :
— *The Marietta Jaeger Story*, Shirley Dicks.
— *My wrestling match with God : Catholics against capital punishment*, Marietta Jaeger.
— *He killed my child but I don't want him to die*, David Wallen-chinsky.
— *The healing power of redemption*, Allen Mills.
— *How I came to forgive the unforgivable*, in *US Catholic Magazine*, Robert McClory.

À voir

La mort, la haine, le pardon, O. Pighetti, diffusé sur Planète.

BILL PELKE

En mai 1985, la grand-mère de Bill Pelke est assassinée par Paula Cooper, une adolescente de quinze ans. En 1989, après avoir mené campagne et organisé moult pétitions, Bill voit la condamnation à mort de Paula se commuer en peine à perpétuité. Depuis, ce fervent abolitionniste continue de correspondre avec la détenue. Afin d'aider ses semblables à passer d'un état de violence à celui de guérison, il a créé l'association Journey Of Hope et continue à multiplier les actions et autres croisades pour l'espoir.

Bill Pelke a reçu comme une grâce et un appel spirituel la faculté de pardonner à Paula Cooper, une des quatre jeunes filles qui se sont acharnées sur sa grand-mère. Lorsqu'on lui demande d'expliquer le parcours qui l'a conduit à soutenir Paula et les motivations de sa croisade pour l'abolition de la peine de mort, il commence par raconter l'agression de Nana, l'aïeule bien-aimée.

Le 14 mai 1985, à l'heure du déjeuner, quatre collégiennes de Gary, dans l'Indiana, décident de faire l'école buissonnière et partent consommer quelques joints de marijuana et quelques verres de vin chez l'une d'entre elles. Dans l'ivresse et l'allégresse, leur vient l'envie de se rendre à quelques blocs de là pour jouer dans le local des jeux vidéo. Mais il y a un problème : elles n'ont pas d'argent. L'une d'entre elles lance :

— Je connais une vieille qui habite de l'autre côté de la rue. Elle enseigne la Bible aux gosses du voisinage et je crois qu'elle a du fric. Vous pourriez aller frapper à sa porte et lui demander de vous donner des leçons... Elle vous laissera entrer et vous pourrez la voler dès qu'elle aura le dos tourné.

Et elle ajoute :

— Pour qu'elle ne puisse pas me reconnaître, je resterai dehors à faire le guet.

Les filles acquiescent et passent à l'action. Naturellement, Ruth Pelke, dite Nana, ouvre la porte, déjà tout heureuse à l'idée de raconter l'histoire de David et Goliath, de Jonas et de la baleine, ou encore sa favorite, celle de Joseph. Comme prévu, elle ne tarde pas à tourner le dos à ses visiteuses. La plus proche saisit un vase sur une table et l'écrase sur sa tête. La suite se perd dans le sordide. Affolées, furieuses de ne pas trouver d'argent, elles se déchaînent et commettent l'irréparable avec un couteau. Laissant mourir Nana sur le sol du salon, elles s'enfuient avec dix dollars et la clé de la vieille voiture.

Le lendemain, le père de Bill trouve le corps de sa mère. Les procès ont lieu un an après. En juillet 1986. La voisine de la victime, qui a eu l'idée du vol et est restée dehors à faire le guet, est punie par vingt-cinq ans de prison ferme. La deuxième, accusée d'avoir agressé la grand-mère avec le vase, prend trente-cinq ans. La troisième, inculpée d'avoir mutilé le corps une vingtaine de minutes avec l'arme, écope de soixante ans. Pour la dernière, Paula, la plus jeune, quinze ans au moment des faits, mais qui a une réputation de chef de bande, les délibérations sont plus longues. Elle a été la première à poignarder la défunte. Lorsque le juge rend enfin le verdict, il entame un long discours sur la peine capitale avant de lâcher la terrible nouvelle. Paula Cooper est condamnée à mourir sur la chaise électrique.

« C'était ce que je voulais à l'époque, se souvient Bill... S'ils n'avaient pas condamné à mort l'assassin de Nana, j'aurais pensé qu'ils ne considéraient pas ma grand-mère comme une personne assez importante. »

Trois mois passent. Alors qu'il travaille comme conducteur de grue, pendant une pause, Bill se met à évoquer Nana. Les larmes aux yeux, il s'en prend à Dieu... Mais le souvenir de sa grand-mère l'envahit et l'entraîne vers d'autres réflexions. Il revoit le procès de Paula Cooper. Il entend un vieillard hurler : « Ils vont tuer mon bébé ! » Il revoit aussi les larmes de Paula rouler sur ses joues rondes. Se superpose à ses souvenirs l'image de la disparue, une Nana merveilleusement belle et qui soudain se met à pleurer. Il comprend alors que ce sont des larmes d'amour et de compassion pour Paula Cooper. L'amour de Nana pour Jésus le pénètre.

« Immédiatement, raconte-t-il, j'ai pensé à trois paraboles du Christ à propos du pardon. Au sermon de la montagne, lorsque Jésus dit : "Si vous souhaitez que votre Père vous pardonne dans le ciel, vous devez d'abord pardonner aux autres..." À la réponse de Jésus à Pierre et à la nécessité de pardonner soixante-dix-sept fois sept fois. Aux dernières paroles du Christ sur la croix : "Père, pardonne-leur car il ne savent pas ce qu'ils font." Les yeux de ma grand-mère, remplis de larmes de compassion, me dictaient ma conduite. Je me suis mis à prier en suppliant Dieu de me donner assez d'amour pour pardonner. C'était une prière très courte mais je sais qu'elle a changé ma vie. »

Bill réalise alors qu'il a envie de communiquer avec la jeune délinquante, qu'il n'a plus envie de la voir mourir, et il ressent le bienfaisant pouvoir de la guérison. S'effacent en lui la vision de Nana morte sur son tapis, la façon dont elle a été frappée pour ne plus avoir à l'esprit que sa foi et sa beauté.

Transformé par ce qu'il appelle « un miracle », il écrit à Paula dès le lendemain. Il lui demande l'adresse de son grand-père et lui avoue son désir de leur rendre visite à l'un et à l'autre. Une semaine plus tard, il reçoit une réponse. Mais les autorités de l'Indiana ne lui accordent pas le droit de visite. La détenue du couloir de la mort et Bill commencent à correspondre régulièrement, à raison d'une lettre tous les dix jours.

Après avoir écrit dans le *Gary Post Tribune* un article intitulé *La réponse est l'amour, la prière et le pardon*, Bill est approché par un journaliste et une chaîne de télévision italiens qui l'invitent à venir témoigner dans leur pays. Il accepte et une grève des transports aériens le retient alors en Italie. Par un incroyable concours de circonstances, son voyage se prolonge de dix-neuf jours pendant lesquels il donne des conférences, collecte des signatures, parle à Radio-Vatican et mobilise l'opinion publique pour persuader le gouverneur de l'Indiana d'arracher Paula au couloir de la mort.

À la fin de l'année 1989, ayant récolté plus de 2 millions de signatures, fort de l'appui du pape et d'une publicité internationale, Bill parvient à convaincre la Cour suprême de l'Indiana de transformer la peine capitale de Paula Cooper en soixante ans de prison.

Quand un journaliste appelle pour lui demander de faire des commentaires, Bill Pelke avoue qu'il s'était promis d'accompagner la jeune fille main dans la main jusqu'à son dernier moment sur la chaise électrique et qu'il était heureux de ne pas avoir à le faire, puis il ajoute : « C'est un très grand jour ! »

Toujours soucieux de l'attention qu'il porte à cette amie si particulière, Bill se refuse à livrer les lettres qu'elle lui a adressées. « En général, dit-il, Paula n'aime pas que l'on raconte son histoire. Elle souhaite qu'on oublie qui elle est et ce qu'elle a fait. » On peut la comprendre. Un début de vie dramatique. Un père violent qui les battait, elle et sa sœur, avec du fil électrique ou une ceinture. Des scènes de violence au cours desquelles il leur imposait de le regarder en train de battre et de violer leur mère. Une tentative de suicide de cette dernière enfermée dans le garage avec ses deux filles, pendant que le pot d'échappement de la voiture diffusait son gaz mortel. La dérive enfin, de familles d'accueil en foyers, avait ensuite achevé de déstabiliser l'équilibre affectif de l'adolescente.

Pour cette raison, Bill Pelke esquive sobrement les questions à propos du parcours de sa protégée. Il se contente de dire : « Ma grand-mère voulait aider les Paula Cooper de ce monde. »

Vivant désormais en Alaska, Bill Pelke termine le message qu'il nous adresse en répétant : « Les réponses à notre engagement sont l'amour et la compassion pour l'humanité entière. En tant que chrétien, j'entends Jésus dire : "Que celui qui n'a jamais péché jette la première pierre." Aucun d'entre nous ne peut précipiter autrui dans la mort. Aimez ceux qui vous haïssent, qui vous persécutent et déchaînent le diable contre vous. Si vous éprouvez de l'amour et de la compassion, vous n'aurez pas de problème pour supporter l'abolition de la peine de mort, si vous éprouvez de l'amour et de la compassion, vous refuserez de voir quelqu'un condamné à mort, vous refuserez de lui prendre la vie. »

Pour contacter Bill Pelke

Bill Pelke, President
Journey of Hope
PO Box 210390
Anchorage, AK 99521-0390
USA
Tél. (appel gratuit) : 1 877 92 4 (4483)

Site Internet

www.journeyofhope.org

ANNEXES

Faits et chiffres recensés
par Amnesty International
en décembre 2000

LA PEINE DE MORT DANS LE MONDE

75 pays abolitionnistes de droit pour tous les crimes
13 pays abolitionnistes de droit pour les crimes de droit commun
20 pays abolitionnistes en pratique
87 pays non abolitionnistes

LA PEINE DE MORT AUX ÉTATS-UNIS
Statistiques pour l'année 2000
(Death Penalty Information Center)

Nombre d'exécutions : 85
Nombre de condamnés à mort : 3 703
Condamnés reconnus innocents et libérés en 1999 : 8
Condamnés reconnus innocents et libérés de 1976 à 1999 : 84
Commutations de peines capitales en prison à vie : 5
États exécutant le plus : Texas, 40 ; Virginie, 11

États comptant le plus de condamnés à mort : Californie, 582 ; Texas, 448
Méthodes utilisées : injection létale, 80 ; électrocution, 5

Total des éxécutions

Total des exécutions depuis 1976 : **683**
Total des exécutions en 1999 : 98
Total des exécutions en 2000 : 85
Plusieurs études ont montré qu'entre 68 et 70 % des condamnations à mort sont issues de jugements erronés !

Population des couloirs de la mort

Hommes : 3 650 (98,57 %)
Femmes : 53 (1,43 %)
Total : 3 703

Population des couloirs de la mort

Blancs : 1 707 (46,10 %)
Noirs : 1 586 (42,83 %, alors que les Noirs représentent 13 % de la population des États-Unis)
Latinos : 328 (8,86 %)
Native American (Indiens d'Amérique) : 47 (1,27 %)
Asiatiques : 34 (0,92 %)
Origine inconnue : 1 (0,03 %)

Population de mineurs (lors des faits)

Hommes : 71 (1,92 %)
Femmes : 0 (0 %)

Depuis 1976, trente-cinq handicapés mentaux ont été exécutés.

Adresses

Ensemble contre la peine de mort
84, rue de Wattignies
75012 Paris
Tél. : 01 40 09 13 09
www.ecart-type.com

Association qui milite pour l'abolition de la peine de mort dans le monde et soutient financièrement des associations de défense des condamnés à mort.

COSIMAP
21 *ter*, rue Voltaire
75011 Paris

Association qui milite pour la libération de Mumia Abu-Jamal.

Amnesty International
76, boulevard de la Villette
75019 Paris
Tél. : 01 53 38 65 65
www.amnesty.asso.fr
www.amnesty.org

Quelques sites Internet

- Amnesty International
  (Groupe 288 – La peine de mort dans le monde) :
  www.perso.wanadoo.fr/ai288/pdm

- Ensemble contre la peine de mort (pétition en ligne) :
  www.ecart-type.com

- L'Organisation des droits de l'homme : www.hrw.org

Et encore :
www.justicedenied.org
www.aidwyc.org
www.lampofhope.org
www.agitator.com
www.deathpenaltyinfo.org
www.members.tripod.com
www.truthinjustice.org
www.ccadp.org
www.journeyofhope.org
www.texasdefender.org

Bibliographie

Michel TAUBE, Benjamin MENASCE, *Lettre ouverte aux Américains pour l'abolition de la peine de mort*, L'Écart, 2000.

Mumia ABU-JAMAL, *En direct du couloir de la mort*, La découverte, 1999.

AMNESTY INTERNATIONAL, *États-Unis : Le Paradoxe américain*, Éditions francophones, 1998.

Robert BADINTER, *L'Abolition*, Fayard, 2000.

Victor HUGO, *Le Dernier Jour d'un condamné*, Le Livre de poche.

Philippe MAURICE, *De la haine à la vie*, Le Cherche Midi Éditeur, 2001.

Leonard PELTIER, *Écrits de prison : le combat d'un Indien*, Albin Michel, 2000.

Remerciements

Toute notre reconnaissance à Catherine Durand, Viviane Andrey, Émilie Lulier et le CLEPS, Danielle Guedon, François Bordeaux, Anne-Marie et Dean Carter, Vendla Meyer, Marietta Jaeger-Lane, Bill Pelke, Jim Marcus, Maurie Levin, Kerry Max Cook, Lisa Kurtz, Florence Bernard, Christine Gavillet et Viviane Saint-Luc pour leur concours et leur soutien inconditionnel sans lesquels ce livre n'aurait pu être conçu.

TABLE DES MATIÈRES

TABLE DES MATIÈRES

Signez la pétition !

Ensemble contre la peine de mort aux États-Unis

« Chers Américains,

Vous êtes la première puissance mondiale et prétendez souvent au rang de modèle pour l'humanité. Nous nous adressons à vous en tant que peuple ami, proche et critique comme sait l'être tout ami sincère. La peine de mort est le symbole d'une justice archaïque, de surcroît une peine non dissuasive. Avec son abolition, ou au moins un moratoire immédiat, vous permettrez à de nombreux condamnés de bénéficier enfin d'un procès équitable et éviterez à des innocents de mourir. Vous ferez entrer les principes de votre Déclaration d'indépendance dans les prisons américaines.
Américains, faites comme les autres démocraties civilisées : abolissez la peine de mort ! »

Nom : _____

Prénom : _____

Adresse _____

_____

_____

Profession : _____

Signature : _____

Découpez, signez et faites signer cette pétition, et envoyez-la à :

Ensemble contre la peine de mort aux États-Unis
84, rue de Wattignies
75012 Paris

La pétition se trouve aussi sur le site www.ecart-type.com.
L'association « Ensemble contre la peine de mort aux États-Unis » se donne deux objectifs : soutenir les grandes associations américaines qui luttent pour la réouverture des dossiers des condamnés à mort ayant eu des procès inéquitables, sensibiliser l'opinion internationale et susciter une campagne d'opinion dans les médias américains.
Envoyez vos dons, par chèque libellé à l'ordre d'ECPM, au Crédit Lyonnais, 205, rue de Tolbiac, 75013 Paris (compte 474/7256Q). Renseignements : 01 40 09 13 09 et 01 55 43 88 83.

Direction littéraire
Huguette Maure

assistée de
Marie Dreyfuss

Composé par P.C.A.
44400 – Rezé

Impression réalisée sur CAMERON par

BRODARD & TAUPIN

GROUPE CPI

La Flèche

pour le compte des Éditions Michel Lafon
en mai 2001

Imprimé en France
Dépôt légal : mai 2001
N° d'impression : 7615
ISBN : 2-84098-654-X
LAF 207